#수학개념학습
#학습만화
#재미있는수학
#만화로개념잡는

개념클릭

Chunjae
Makes
Chunjae

개념클릭

편집총괄	지유경
편집개발	정소현, 조선영, 최윤석
디자인총괄	김희정
표지디자인	윤순미, 장미
내지디자인	박희춘, 이혜진
제작	황성진, 조규영

발행일	2018년 11월 15일 개정초판 2022년 10월 15일 6쇄
발행인	(주)천재교육
주소	서울시 금천구 가산로9길 54
신고번호	제2001-000018호
고객센터	1577-0902

공부가즐거워지는

개념
클릭

★ 해법수학 ★

5-1

구성과 특징

수학 공부를 쉽고, 재미있게 할 수 있는 교재는 없을까?

개념을 자세히 설명해 놓으면 잘 읽지 않고, 그렇다고 설명을 안 할 수도 없고…….

만화로 교과서 개념을 설명한 책은 많지만, 수박 겉핥기 식으로 넘어가기만 하니…….

개념클릭 해법수학이 탄생하게 된 배경입니다.

개념클릭 해법수학 4단계 시스템!

1단계 만화로 재미있게 개념 익히기

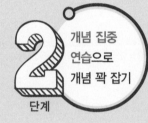

2단계 개념 집중 연습으로 개념 꽉 잡기

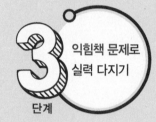

3단계 익힘책 문제로 실력 다지기

4단계 단원 평가로 실력 체크

1단계 교과서 개념

만화를 보면 개념이 저절로~
간단한 **확인 문제**로 개념을 정리하세요.

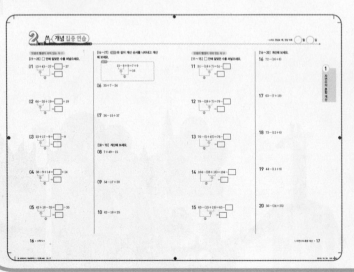

2단계 개념 집중 연습

교과서 개념 문제를 반복하여 풀어 보면서
개념을 꽉 잡아요.

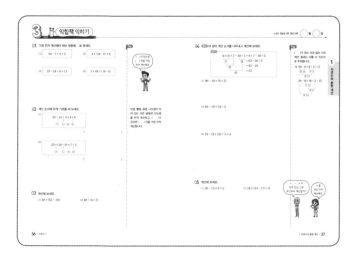

3 단계 익힘책 익히기

익힘책 문제를 풀어 보면서 **실력**을 키워요.

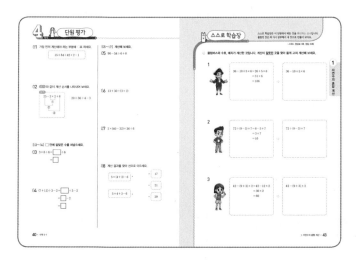

4 단계 단원 평가

한 단원을 마무리하며 스스로 **실력 체크**를 해요.

스스로 학습장

한 단원을 학습한 후 내가 무엇을 알고 무엇을
모르는지 확인하는 코너입니다.

개념클릭만의 모바일 학습

표지 QR

▶ 표지에 있는 **QR코드**를 찍으면
개념 동영상·만화를 학습할
수 있습니다.

도비라 QR

▶ 단원 시작에 있는 **QR코드**를
찍으면 각 단원의 개념 동영상
강의를 볼 수 있습니다.

차례 Contents

이 책의 등장인물

콜럼버스

호기심이 많고 용감한 모험가
신대륙을 발견하기 위해
항해를 하게 된다.

핀손

산타마리아호의 선장

크리스

이탈리아에서 온 고고학을
공부하는 대학생
수호의 옆집에 산다.

수호

운동을 좋아하고
수학은 싫어하는
개구쟁이 12살 소년

예지

수학을 잘하고 명랑하고
활발한 12살 소녀

프롤로그

수호야, 너희 옆집에 이탈리아에서 온 대학생 언니가 산다면서?

맞아. 한 달 전쯤에 이사 왔어.

대학교에서 고고학을 공부한다고 하던데……

고고학이라고?

와~ 멋지다~

오늘 누나 집에 놀러 가기로 했는데 같이 갈래?

정말?

그런데 예지야, 너 고고학이 뭔지 알아?

유물, 유적을 통해 옛 사람들의 생활을 공부하는 학문이야.

아~ 엄청 어려운 거구나.

이그~.

딩동~

누구세요~.

안녕하세요. 저 옆집에 사는 수호예요.

어서 와, 수호야~.

친구도 같이 왔네~. 안으로 들어오렴.

안녕하세요. 전 예지라고 해요.

와~ 신기한 물건들이 많다!

그러게~

잠깐 구경하고 있을래? 난 간식 좀 가져올게.

이건 옛날 사람들이 쓰던 그릇인가?

여기 모래 시계도 있어.

1 자연수의 혼합 계산

QR 코드를 찍으면 1단원 개념 동영상 강의를 볼 수 있어요

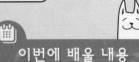

이번에 배울 내용

- 덧셈과 뺄셈이 섞여 있는 식의 계산
- 곱셈과 나눗셈이 섞여 있는 식의 계산
- 덧셈, 뺄셈, 곱셈이 섞여 있는 식의 계산
- 덧셈, 뺄셈, 나눗셈이 섞여 있는 식의 계산
- 덧셈, 뺄셈, 곱셈, 나눗셈이 섞여 있는 식의 계산

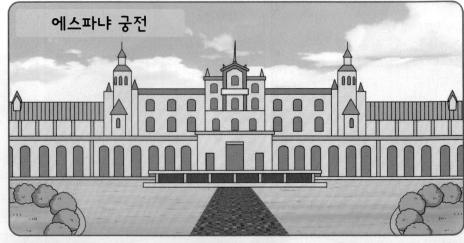

좋소, 내가 무엇을 얼마만큼 지원해 주면 되겠소?

배를 타고 인도까지 65일이 걸리므로,

선원 108명과 그들이 65일 동안 먹을 식량을 지원해 주십시오.

핀손 선장, 108명이 하루에 빵을 1개씩 먹을 때 65일 동안 먹을 빵이 모두 몇 개지?

그… 그건…….

잘 모르는가?

그건 108×65를 계산하면 됩니다.

108×65는 곱하는 수를 일의 자리와 십의 자리로 나누어 곱한 뒤 더하면 7020이므로 빵 7020개가 필요하죠.

오~ 콜럼버스 자네! 수학도 잘하는군. 좋소. 내가 그 모든 걸 지원하겠네.

$$\begin{array}{r} 108 \\ \times 65 \\ \hline 540 \\ 648\ \\ \hline 7020 \end{array}$$

← 계산의 편리함을 위해 0을 생략해요.

핀손 선장도 콜럼버스를 도와 그곳에 다녀오시오.

저 맞죠?

또, 콜럼버스를 도와주며 수학도 좀 배워 오고…….

콜럼버스, 날 망신 주다니! 두고 봐! 용서 못 해.

감사합니다 여왕님

1 수 모형을 보고 □ 안에 알맞은 수를 써넣으세요.

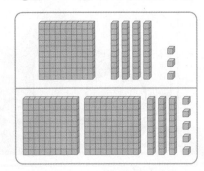

$$\begin{array}{r} 1\ 4\ 3 \\ +\ 2\ 3\ 5 \\ \hline \end{array}$$

개념 체크 **1** ◀ 3학년 1학기 1단원

받아올림이 없는 세 자리 수의 덧셈

$$\begin{array}{r} 2\ 4\ 5 \\ +\ 1\ 3\ 2 \\ \hline 3\ 7\ 7 \end{array}$$

• 일의 자리: $5+2=7$
• 십의 자리: $4+3=7$
• 백의 자리: $2+1=3$

2 계산해 보세요.

(1)
$$\begin{array}{r} 5\ 3\ 2 \\ -\ 2\ 1\ 1 \\ \hline \end{array}$$

(2)
$$\begin{array}{r} 8\ 5\ 7 \\ -\ 5\ 3\ 4 \\ \hline \end{array}$$

개념 체크 **2** ◀ 3학년 1학기 1단원

받아내림이 없는 세 자리 수의 뺄셈

$$\begin{array}{r} 7\ 5\ 3 \\ -\ 4\ 3\ 1 \\ \hline 3\ 2\ 2 \end{array}$$

• 일의 자리: $3-1=2$
• 십의 자리: $5-3=2$
• 백의 자리: $7-4=3$

3 두 수의 합을 구하세요.

394	457

(   )

개념 체크 **3** ◀ 3학년 1학기 1단원

받아올림이 있는 세 자리 수의 덧셈

$$\begin{array}{r} 1\ 1\ \ \\ 5\ 7\ 3 \\ +\ 2\ 6\ 8 \\ \hline 8\ 4\ 1 \end{array}$$

• 일의 자리: $3+8=11$
• 십의 자리: $1+7+6=14$
• 백의 자리: $1+5+2=8$

4 빈칸에 알맞은 수를 써넣으세요.

623	−158	

개념 체크 **4** ◀ 3학년 1학기 1단원

받아내림이 있는 세 자리 수의 뺄셈

$$\begin{array}{r} {}^{6}\ {}^{13}\ {}^{10} \\ \not{7}\ \not{4}\ 2 \\ -\ 5\ 7\ 6 \\ \hline 1\ 6\ 6 \end{array}$$

• 일의 자리: $2+10-6=6$
• 십의 자리: $4-1+10-7=6$
• 백의 자리: $7-1-5=1$

5 가장 큰 수와 가장 작은 수의 곱을 구하세요.

800	500	40	70

(　　　　　　　　　)

6 계산 결과를 비교하여 ○ 안에 >, =, <를 알맞게 써넣으세요.

654×25 ○ 514×33

7 계산해 보세요.

(1) $63 \overline{)854}$

(2) $23 \overline{)547}$

8 나눗셈을 계산하고 계산 결과가 맞는지 확인해 보세요.

$28 \overline{)598}$

확인 _____

개념 체크 **5** ◀ 4학년 1학기 3단원

(몇백)×(몇십)

0이 3개

$400 \times 30 = 12000$

$4 \times 3 = 12$

개념 체크 **6** ◀ 4학년 1학기 3단원

(세 자리 수)×(두 자리 수)

```
    2 8 2
  ×   2 5
  ───────
  1 4 1 0
    5 6 4
  ───────
  7 0 5 0
```

개념 체크 **7** ◀ 4학년 1학기 3단원

(세 자리 수)÷(두 자리 수)

```
        2 5  ← 20+5
  26 ) 6 7 2
       5 2
     ───────
       1 5 2
       1 3 0
     ───────
         2 2
```

개념 체크 **8** ◀ 4학년 1학기 3단원

계산 결과가 맞는지 확인하기

```
        3 2
  14 ) 4 5 7
       4 2
     ───────
         3 7
         2 8
     ───────
           9
```

$457 \div 14 = 32 \cdots 9$

⇨ $14 \times 32 = 448$, $448 + 9 = 457$

산타마리아호

자, 출발이다.
돛을 올려라!

이봐! 콜럼버스! 이 배의
선장은 나야. 지시는
내가 할 거라고!

그 지도
이리줘.

뭐… 그래!

31-12+8

이… 이게 뭐지?
31-12+8을 계산하라고?

여기에 왜
계산식이……

자, 선장님,
어서 지시를
하시죠.

흠흠~
이번은 자네에게
양보하겠어.

그렇다면 이번에는
내가 해 보겠네.

덧셈과 뺄셈이 섞여 있는 식은
앞에서부터 차례로 계산하면 돼.

$$31-12+8 = 19+8$$
$$\underbrace{\qquad}_{①} \quad \underbrace{\qquad}_{②} = 27$$

➡ 앞에서부터 차례로 계산합니다.

자, 배를 동쪽으로
27°만큼 돌려라.

쳇! 콜럼버스,
두고 보자.

선장님! 큰일났습니다~.

개념 클릭

◎ **덧셈과 뺄셈이 섞여 있는 식** (1) − ( )가 없을 때

덧셈과 뺄셈이 섞여 있는 식은 앞에서부터 차례로 계산합니다.

$$31-12+8=19+8=\boxed{}^{❶}$$

① ②

31−12+8은
앞에서부터
차례로 계산해요.

● 정답   ❶ 27

[1~4] □ 안에 알맞은 수를 써넣으세요.

1 $24-18+32=\boxed{}+32$
① ②
$=\boxed{}$

2 $17+35-21=\boxed{}-21$
① ②
$=\boxed{}$

3 $45+26-38=\boxed{}-38$
① ②
$=\boxed{}$

4 $35-17+45=\boxed{}+45$
① ②
$=\boxed{}$

[5~8] 계산해 보세요.

5 $31-28+23$

6 $17+25-34$

7 $54+18-39$

8 $42-25+19$

덧셈과 뺄셈이
섞여 있는 식의
계산 순서는?

앞에서부터
차례로 계산해.

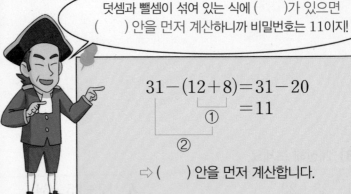

덧셈과 뺄셈이 섞여 있는 식에 (　　)가 있으면 (　　) 안을 먼저 계산하니까 비밀번호는 11이지!

$$31-(12+8)=31-20$$

① = 11

②

⇨ (　　) 안을 먼저 계산합니다.

◎ **덧셈과 뺄셈이 섞여 있는 식** (2) − (　　)가 있을 때

덧셈과 뺄셈이 섞여 있고 (　)가 있는 식에서는 (　) 안을 먼저 계산합니다.

$$31-(12+8)=31-20=\boxed{\text{❶}}$$
①
②

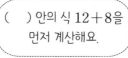
(　) 안의 식 $12+8$을 먼저 계산해요.

◎ 정답 ❶ 11

[1~4] □ 안에 알맞은 수를 써넣으세요.

1 $65-(24+18)=65-\boxed{}$
①
$=\boxed{}$
②

2 $33-(14+9)=33-\boxed{}$
①
$=\boxed{}$
②

3 $72-(35+27)=72-\boxed{}$
①
$=\boxed{}$
②

4 $49-(16+8)=49-\boxed{}$
①
$=\boxed{}$
②

[5~8] 계산해 보세요.

5 $45-(14+15)$

6 $51-(9+16)$

7 $36-(18+5)$

8 $53-(19+7)$

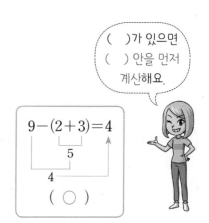
(　)가 있으면 (　) 안을 먼저 계산해요.
$$9-(2+3)=4$$
5
4
(○)

덧셈과 뺄셈이 섞여 있는 식 (1)

[01~05] □ 안에 알맞은 수를 써넣으세요.

01 $13+43-27=\boxed{}-27$
① ②
$=\boxed{}$

02 $64-35+19=\boxed{}+19$
① ②
$=\boxed{}$

03 $22+17-9=\boxed{}-9$
① ②
$=\boxed{}$

04 $38-9+14=\boxed{}+14$
① ②
$=\boxed{}$

05 $42+18-35=\boxed{}-35$
① ②
$=\boxed{}$

[06~07] 보기 와 같이 계산 순서를 나타내고 계산해 보세요.

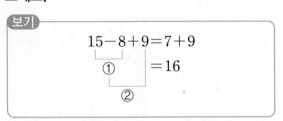

보기
$15-8+9=7+9$
① ②
$=16$

06 $35+7-24$

07 $26-15+37$

[08~10] 계산해 보세요.

08 $7+49-15$

09 $54-17+28$

10 $42-18+25$

덧셈과 뺄셈이 섞여 있는 식 (2)

[11~15] □ 안에 알맞은 수를 써넣으세요.

11 $51-(18+7)=51-\boxed{}$ ①
   $=\boxed{}$ ②

12 $79-(28+7)=79-\boxed{}$ ①
   $=\boxed{}$ ②

13 $76-(5+47)=76-\boxed{}$ ①
   $=\boxed{}$ ②

14 $104-(28+18)=104-\boxed{}$ ①
   $=\boxed{}$ ②

15 $63-(15+19)=63-\boxed{}$ ①
   $=\boxed{}$ ②

[16~20] 계산해 보세요.

16 $72-(16+8)$

17 $63-(7+19)$

18 $73-(12+6)$

19 $44-(11+9)$

20 $56-(24+25)$

1

자연수의 혼합 계산

◎ **곱셈과 나눗셈이 섞여 있는 식** (1) − ( )가 없을 때

곱셈과 나눗셈이 섞여 있는 식은 앞에서부터 차례로 계산합니다.

$$50 \div 5 \times 2 = 10 \times 2 = \boxed{\text{❶}}$$

① ②

곱셈과 나눗셈이 섞여 있으면 앞에서부터 차례로 계산해요.

↪ 정답 ❶ 20

1

자연수의 혼합 계산

[1~4] □ 안에 알맞은 수를 써넣으세요.

1 $42 \div 7 \times 5 = \boxed{} \times 5$

①

② $= \boxed{}$

2 $56 \div 8 \times 3 = \boxed{} \times 3$

①

② $= \boxed{}$

3 $81 \div 9 \times 4 = \boxed{} \times 4$

①

② $= \boxed{}$

4 $54 \div 6 \times 7 = \boxed{} \times 7$

①

② $= \boxed{}$

[5~8] 계산해 보세요.

5 $24 \div 3 \times 9$

6 $72 \div 8 \times 5$

×, ÷이 섞여 있는 식은 앞에서부터 차례로 계산해요.

7 $30 \div 5 \times 6$

8 $48 \div 6 \times 3$

너희가 스파이가 아니란 건 밝혀졌지만,

이 배에서 지내려면 일을 해야 해! 식량까지 몰래 먹었으니 오늘은 바닥을 전부 닦도록 해.

누나, 여긴 어디죠? 우린 왜 여기에 있을까요?

우린 아마도 과거로 온 것 같아.

여긴 콜럼버스가 신대륙을 발견하러 가는 배인 것 같고.

콜럼버스?

설마 그 산타마리아호라고요?

우리 이제 어떡해?

수호야, 그 책 가지고 있어? 다시 문제를 풀면 돌아갈 수도 있잖아.

자, 여기 50÷(5×2)를 계산해 봐.

응! 내가 계산해 볼게.

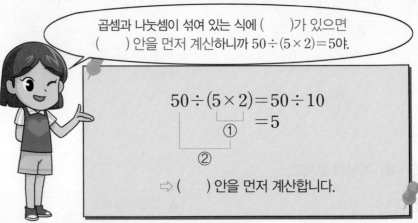

곱셈과 나눗셈이 섞여 있는 식에 (   )가 있으면 (   ) 안을 먼저 계산하니까 50÷(5×2)=50야.

$$50 \div (5 \times 2) = 50 \div 10$$
$$\underbrace{}_{①}$$
$$= 5$$
$$②$$

⇨ (   ) 안을 먼저 계산합니다.

역시~ 예지 넌 수학을 잘 하는구나.

와~ 예지 대단해.

뭘~

자, 이제 답을 적으면 다시 돌아갈 수 있겠죠?

응! 그렇겠지!

너희, 그 책은 뭐지?

개념 클릭

◎ 곱셈과 나눗셈이 섞여 있는 식 (2) — ( )가 있을 때

곱셈과 나눗셈이 섞여 있고 ( )가 있는 식에서는 ( ) 안을 먼저 계산합니다.

$$50 \div (5 \times 2) = 50 \div 10 = \boxed{}^{❶}$$

①
②

계산 순서가 바뀌면 답이 달라지니 주의해요.

◯ 정답 ❶ 5

1
자연수의 혼합 계산

[1~2] 먼저 계산해야 하는 부분에 ◯표 하세요.

1 $\quad 75 \div (3 \times 5)$

2 $\quad 48 \div (2 \times 4)$

[3~4] □ 안에 알맞은 수를 써넣으세요.

3 $\quad 72 \div (4 \times 2) = 72 \div \boxed{}$
①
② $= \boxed{}$

4 $\quad 45 \div (3 \times 3) = 45 \div \boxed{}$
①
② $= \boxed{}$

[5~8] 계산해 보세요.

5 $\quad 24 \div (2 \times 3)$

6 $\quad 64 \div (2 \times 4)$

( )가 있으면 ( ) 안을 먼저 계산해요.

7 $\quad 45 \div (5 \times 3)$

8 $\quad 80 \div (5 \times 2)$

곱셈과 나눗셈이 섞여 있는 식 (1)

[01~04] □ 안에 알맞은 수를 써넣으세요.

01 $10 \times 4 \div 5 = \boxed{} \div 5 = \boxed{}$
① ②

02 $60 \div 5 \times 4 = \boxed{} \times 4 = \boxed{}$
① ②

03 $48 \div 4 \times 3 = \boxed{}$
① $\boxed{}$
② $\boxed{}$

04 $12 \div 3 \times 9 = \boxed{}$
① $\boxed{}$
② $\boxed{}$

[05~10] 계산해 보세요.

05 $56 \div 7 \times 4$

06 $4 \times 12 \div 8$

07 $16 \div 4 \times 8$

08 $8 \times 4 \div 16$

09 $90 \div 9 \times 3$

10 $42 \div 6 \times 9$

곱셈과 나눗셈이 섞여 있는 식 (2)

[11~14] □ 안에 알맞은 수를 써넣으세요.

11 $54 \div (2 \times 3) = 54 \div \boxed{} = \boxed{}$
①
②

12 $60 \div (5 \times 2) = 60 \div \boxed{} = \boxed{}$
①
②

13 $81 \div (3 \times 3) = \boxed{}$
① $\boxed{}$
② $\boxed{}$

14 $90 \div (3 \times 2) = \boxed{}$
① $\boxed{}$
② $\boxed{}$

[15~20] 계산해 보세요.

15 $72 \div (3 \times 3)$

16 $75 \div (3 \times 5)$

17 $40 \div (4 \times 2)$

18 $64 \div (4 \times 8)$

19 $120 \div (5 \times 6)$

20 $140 \div (2 \times 7)$

1

자연수의 혼합 계산

덧셈, 뺄셈, 곱셈이 섞여 있는 식은 어떻게 계산하나요?

이리 줘봐.

돌려주세요.

가만! 이 책 어디서 본 것 같은데……

어쨌든 이 책은 내가 가져가겠다.

큰일이다

이제 어쩌지?

망했다

선장이 방에 책을 두고 나오면 우리가 몰래 가서 꺼내오자.

휴익~

이건…….

그게 뭐예요?

선장의 방 번호가 적힌 쪽지인 것 같아.

선장의 방 번호
$40 - 8 \times 3 + 15$

누나! 어서 계산해 봐요.

그래.

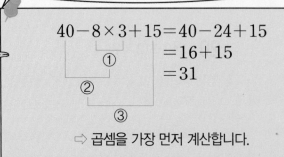

덧셈, 뺄셈, 곱셈이 섞여 있는 식은 곱셈을 먼저 계산해야 하므로 $40 - 8 \times 3 + 15 = 31$이야.

$$40 - 8 \times 3 + 15 = 40 - 24 + 15$$
$$① $$
$$② $$
$$= 16 + 15$$
$$= 31$$
$$③ $$

➡ 곱셈을 가장 먼저 계산합니다.

그럼 31번 방으로 가면 되죠?

그런데 누가 우릴 도와준 거지?

◎ **덧셈, 뺄셈, 곱셈이 섞여 있는 식**
덧셈, 뺄셈, 곱셈이 섞여 있는 식은 곱셈을 먼저 계산합니다.

$$40-8\times3+15=40-24+15$$

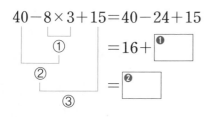

$$=16+\boxed{❶}$$

$$=\boxed{❷}$$

덧셈, 뺄셈, 곱셈이 섞여 있는 식은 곱셈을 먼저 계산하고~.

덧셈, 뺄셈은 앞에서부터 차례로 계산!

🔄 **정답** ❶ 15 ❷ 31

1

자연수의 혼합 계산

[1~2] □ 안에 알맞은 수를 써넣으세요.

1
$$38+45-6\times4=38+45-\boxed{}$$
② ①
$$=83-\boxed{}$$
③
$$=\boxed{}$$

$$38+(45-6)\times4=38+\boxed{}\times4$$
①
$$=38+\boxed{}$$
②
$$=\boxed{}$$
③

( )가 있으면 ( ) 안을 가장 먼저 계산해요.

2
$$79-6\times3+9=79-\boxed{}+9$$
①
$$=\boxed{}+9$$
②
$$=\boxed{}$$
③

$$79-6\times(3+9)=79-6\times\boxed{}$$
①
$$=79-\boxed{}$$
②
$$=\boxed{}$$
③

[3~6] 계산해 보세요.

3 $90-16+8\times3$

4 $(40+5)\times2-30$

5 $15+6\times2-10$

6 $6\times(17+3)-71$

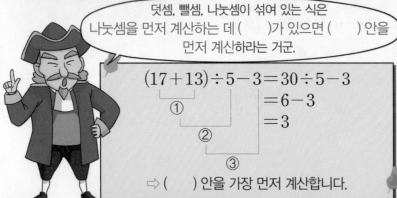

$$(17+13) \div 5 - 3 = 30 \div 5 - 3$$
$$= 6 - 3$$
$$= 3$$

◎ **덧셈, 뺄셈, 나눗셈이 섞여 있는 식**

덧셈, 뺄셈, 나눗셈이 섞여 있는 식은 나눗셈을 먼저 계산하고,
(   )가 있으면 (   ) 안을 가장 먼저 계산합니다.

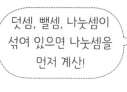

덧셈, 뺄셈, 나눗셈이
섞여 있으면 나눗셈을
먼저 계산!

$$(17+13) \div 5 - 3 = 30 \div 5 - 3$$

①
② $= \boxed{\text{❶}} - 3$
③ $= \boxed{\text{❷}}$

○ 정답 ❶ 6 ❷ 3

1 자연수의 혼합 계산

1 □ 안에 알맞은 수를 써넣으세요.

(1) $82 - 72 \div 3 + 9 = 82 - \boxed{} + 9$
  ①
  ② $= \boxed{} + 9$
  ③ $= \boxed{}$

(   )가 있는
식은 어떻게
계산하지?

(   ) 안을 가장
먼저 계산해요.

(2) $82 - 72 \div (3 + 9) = 82 - 72 \div \boxed{}$
  ①
  ② $= 82 - \boxed{}$
  ③ $= \boxed{}$

[2~5] 계산해 보세요.

2 $52 + 32 - 84 \div 21$

3 $9 - (36 + 24) \div 12$

4 $13 + 56 - 42 \div 7$

5 $9 + (42 - 12) \div 5$

2단계

덧셈, 뺄셈, 곱셈이 섞여 있는 식

[01~04] □ 안에 알맞은 수를 써넣으세요.

01
$$50-6\times5+8=50-\boxed{}+8$$
① ②
$$=\boxed{}+8$$
③
$$=\boxed{}$$

02
$$41+3\times(8-5)=41+3\times\boxed{}$$
①
$$=41+\boxed{}$$
② ③
$$=\boxed{}$$

03
$$48-8\times3+15=\boxed{}$$
① ② ③

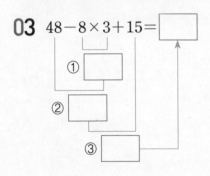

04
$$79-(5+8)\times4=\boxed{}$$
① ② ③

[05~07] 보기 와 같이 계산 순서를 나타내고 계산 해 보세요.

> 보기
> $$5+(7-2)\times4=5+5\times4$$
> ①
> $$=5+20$$
> ②
> $$=25$$
> ③

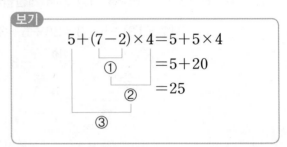

05 $23-(2+4)\times3$

06 $17+4\times(12-8)$

07 $94-(7+2)\times9$

덧셈, 뺄셈, 나눗셈이 섞여 있는 식

[08~11] □ 안에 알맞은 수를 써넣으세요.

08 $12+48\div6-9=12+\boxed{}-9$

$=\boxed{}-9$

$=\boxed{}$

① ② ③

09 $54\div(12-3)+23=54\div\boxed{}+23$

$=\boxed{}+23$

$=\boxed{}$

① ② ③

10 $50+12-64\div4=\boxed{}$

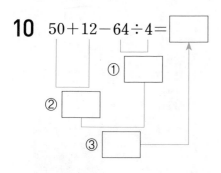

① ② ③

11 $54-36\div(3+6)=\boxed{}$

① ② ③

[12~16] 계산해 보세요.

12 $16+72\div9-5$

13 $17-(55+5)\div6$

14 $61-(9+21)\div3$

15 $17+42\div7-8$

16 $5+63\div(9-2)$

1

자연수의 혼합 계산

책을 이 금고에 넣었지?

응!

어쩌죠? 금고가 잠겨 있어요.

여기 힌트가 있어. $96 \div 3 - 2 + 5 \times 4$를 계산하면 돼.

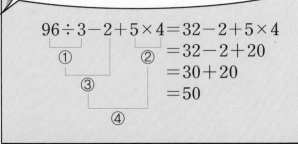

덧셈, 뺄셈, 곱셈, 나눗셈이 섞여 있는 식은 곱셈, 나눗셈을 먼저 계산하면 되니까 비밀번호는 50이야.

$$96 \div 3 - 2 + 5 \times 4 = 32 - 2 + 5 \times 4$$
$$= 32 - 2 + 20$$
$$= 30 + 20$$
$$= 50$$

이제 집으로 돌아갈 수 있겠다.

책이 없어!!

너희, 혹시 이걸 찾니?

앗! 속았다.

난 너희가 이걸 찾으러 올 줄 알았지.

그리고 난 이 책의 정체도 알았지.

이 책은 바로……

◎ **덧셈, 뺄셈, 곱셈, 나눗셈이 섞여 있는 식** (1) — ( )가 없을 때
덧셈, 뺄셈, 곱셈, 나눗셈이 섞여 있는 식은 곱셈과 나눗셈을
먼저 계산합니다.

$$96 \div 3 - 2 + 5 \times 4 = 32 - 2 + 5 \times 4$$
$$= 32 - 2 + 20$$
$$= 30 + \boxed{❶}$$
$$= \boxed{❷}$$

① ② ③ ④

덧셈, 뺄셈, 곱셈, 나눗셈이 섞여 있는 식은 곱셈과 나눗셈을 먼저 계산해요.

➡ 정답 ❶ 20 ❷ 50

1 자연수의 혼합 계산

[1~3] □ 안에 알맞은 수를 써넣으세요.

1 $42 \div 6 + 5 \times 3 - 8 = \boxed{}$

① $\boxed{}$
② $\boxed{}$
③ $\boxed{}$
④ $\boxed{}$

2 $12 + 3 \times 6 - 45 \div 9 = \boxed{}$

① $\boxed{}$
② $\boxed{}$
③ $\boxed{}$
④ $\boxed{}$

3 $7 + 56 \div 8 \times 12 - 20 = \boxed{}$

① $\boxed{}$
② $\boxed{}$
③ $\boxed{}$
④ $\boxed{}$

×, ÷ 중에서는 무엇을 먼저 계산하지?

앞에서부터 차례로 계산해.

[4~5] 계산해 보세요.

4 $45 - 70 \div 5 + 6 \times 3$

5 $2 \times 7 - 40 \div 5 + 11$

꺼내 주세요.

저희를 왜 가둔 거예요?

내가 이 책의 비밀을 알았거든~.

이 책은 콜럼버스의 항해 일기장이고 앞으로 일어날 일들이 적혀 있더군.

너희 미래에서 왔지?

이제부터 이 책에 적힌 콜럼버스가 한 일을 내가 할 거야.

신대륙을 내가 먼저 찾으면 난 부자가 되겠지.

크하하하

어서 그 책을 돌려줘요.

크하하하

그럴 순 없지. 난 이만!

큰일이다. 역사가 바뀌겠어.

철푸덕

배고파

넌 지금 밥 생각이 나니?

앗!

휙

몰라~ 그냥 배고파.

이 방 문을 여는 비밀번호가 여기 적혀 있어.

이리 줘봐.

$96 \div 3 - (2+5) \times 4$ 를 계산하면 되겠다.

어머!

어렵다

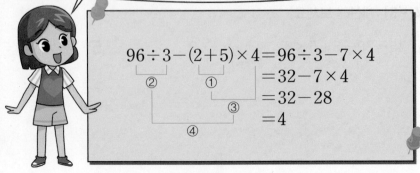

덧셈, 뺄셈, 곱셈, 나눗셈이 섞여 있는 식에 ( )가 있으면 ( ) 안을 가장 먼저 계산해. 그럼 비밀번호는 4야.

$$96 \div 3 - (2+5) \times 4 = 96 \div 3 - 7 \times 4$$
$$= 32 - 7 \times 4$$
$$= 32 - 28$$
$$= 4$$

◎ 덧셈, 뺄셈, 곱셈, 나눗셈이 섞여 있는 식 (2) − ( )가 있을 때
덧셈, 뺄셈, 곱셈, 나눗셈이 섞여 있는 식은 곱셈과 나눗셈을
먼저 계산하고, ( )가 있으면 ( ) 안을 가장 먼저 계산합니다.

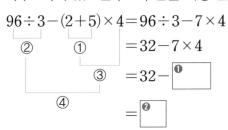

$$96 \div 3 - (2+5) \times 4 = 96 \div 3 - 7 \times 4$$
$$= 32 - 7 \times 4$$
$$= 32 - \boxed{①}$$
$$= \boxed{②}$$

덧셈, 뺄셈, 곱셈,
나눗셈이 섞여 있는 식에
( )가 있으면 ( ) 안을
가장 먼저 계산해요.

⟳ 정답 ❶ 28 ❷ 4

[1~2] □ 안에 알맞은 수를 써넣으세요.

1 $48 \div 4 + (7-4) \times 6 = \boxed{}$

① $\boxed{}$
② $\boxed{}$
③ $\boxed{}$
④ $\boxed{}$

2 $54 - (24+6) \div 3 \times 4 = \boxed{}$

① $\boxed{}$
② $\boxed{}$
③ $\boxed{}$
④ $\boxed{}$

[3~5] 계산해 보세요.

3 $17 + (15-8) \times 9 \div 3$

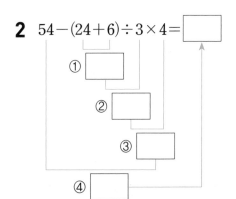

( ) 안을 가장 먼저 계산,
그리고 곱셈, 나눗셈을 앞에서
부터 차례로 계산해요.

4 $56 \div 8 + (9-4) \times 5$

5 $5 \times (14-6) + 72 \div 8$

덧셈, 뺄셈, 곱셈, 나눗셈이 섞여 있는 식 (1)

[01~03] □ 안에 알맞은 수를 써넣으세요.

01 $42 \div 7 + 7 \times 3 - 14 =$ □

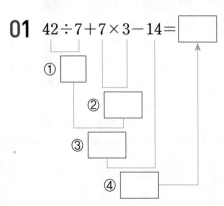

02 $63 - 9 \times 4 \div 6 + 15 =$ □

03 $47 + 35 \div 7 - 3 \times 7 =$ □

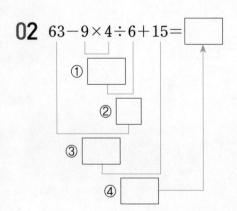

[04~07] 계산해 보세요.

04 $36 \div 6 + 5 \times 4 - 14$

05 $23 + 8 \div 2 \times 7 - 5$

06 $47 - 5 \times 4 \div 2 + 12$

07 $4 \times 3 + 18 \div 6 - 7$

덧셈, 뺄셈, 곱셈, 나눗셈이 섞여 있는 식 (2)

[08~10] □ 안에 알맞은 수를 써넣으세요.

08 $5 \times (15-9) + 24 \div 6 =$ ☐

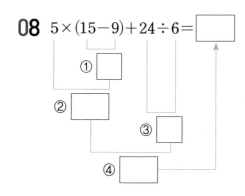

09 $48 \div 6 + (17-8) \times 4 =$ ☐

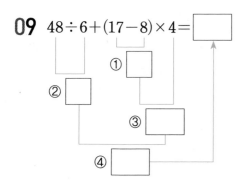

10 $32 - (2+4) \times 7 \div 3 =$ ☐

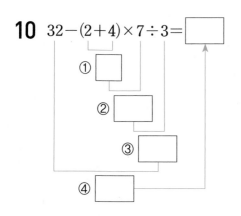

[11~14] 보기 와 같이 계산 순서를 나타내고 계산해 보세요.

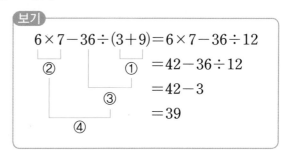

11 $42 \div 7 + (14-8) \times 5$

12 $25 + (25-7) \div 6 \times 4$

13 $51 - 40 \div (4 \times 2) + 7$

14 $4 \times (17-5) + 20 \div 4$

1

자연수의 혼합 계산

익힘책 익히기

01 가장 먼저 계산해야 하는 부분에 ◯표 하세요.

(1) $54 - 7 + 2 \times 5$

(2) $4 \times (24 - 8) + 9$

(3) $33 - 24 \div 6 + 11$

(4) $5 + 48 \div (16 - 8)$

02 계산 순서에 맞게 기호를 써 보세요.

(1)

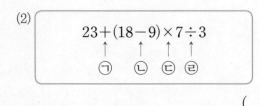

$$42 - 15 \div 3 + 4 \times 8$$
ㄱ ㄴ ㄷ ㄹ

( )

(2)

$$23 + (18 - 9) \times 7 \div 3$$
ㄱ ㄴ ㄷ ㄹ

( )

03 계산해 보세요.

(1) $38 + (52 - 19)$

(2) $40 \div (4 \times 2)$

04 [보기]와 같이 계산 순서를 나타내고 계산해 보세요.

[보기]

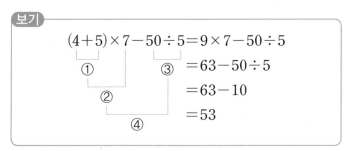

$$(4+5)\times7-50\div5=9\times7-50\div5$$
$$=63-50\div5$$
$$=63-10$$
$$=53$$

(1) $90-10\times(5+3)$

(2) $40-16+24\div4$

(3) $53-(9+16)\div5\times4$

05 계산해 보세요.

(1) $30-15+6\times5$

(2) $24+(53-17)\div6$

Tip

• (　)가 있는 식과 없는 식의 계산 결과는 다를 수 있으므로 주의합니다.

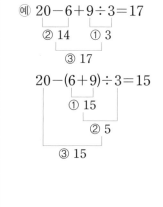

예 $20-6+9\div3=17$
　　② 14　① 3
　　　　③ 17

$20-(6+9)\div3=15$
　　① 15
　　　② 5
　　③ 15

+, −, ×이 섞여 있는 식은 무엇부터 계산할까?

×을 가장 먼저 계산해요.

1

자연수의 혼합 계산

06 풀이가 맞는지 생각해 보고, 틀렸다면 계산 순서를 바르게 나타내고 계산 해 보세요.

$$32+(24-8)÷4=32+16÷4$$
$$=48÷4$$
$$=12$$

⇩

$$32+(24-8)÷4$$

07 계산 결과를 비교하여 ○ 안에 >, =, <를 알맞게 써넣으세요.

(1) $57-8+6×3$ ○ $57-(8+6)×3$

(2) $5+3×(16-8)÷2$ ○ $5+3×16-8÷2$

• ( )가 있는 식은 ( ) 안 을 가장 먼저 계산합니다.

08 서희네 반 학급 문고에는 동화책이 45권, 위인전이 25권 있습니다. 그중에 서 31권을 친구들이 빌려 갔습니다. 남은 책은 몇 권인지 하나의 식으로 나타내어 구하세요.

• 동화책 수와 위인전 책 수의 합 에서 친구들이 빌려간 책 수를 빼어 구합니다.

식 $45+\boxed{}-\boxed{}=\boxed{}$

답

09 영주는 과자를 한 판에 20개씩 4판 구워서 남김없이 8상자에 똑같이 나누어 담았습니다. 한 상자에 들어 있는 과자는 몇 개인지 하나의 식으로 나타내어 구하세요.

Tip

식 $20 \times \boxed{} \div \boxed{} = \boxed{}$

답 _____

· 20개씩 4판에 구운 과자의 수를 8로 나누어 봅니다.

10 방울토마토가 48개 있습니다. 남학생 5명과 여학생 3명이 각각 5개씩 먹었습니다. 남은 방울토마토는 몇 개인지 하나의 식으로 나타내어 구하세요.

식 $48 - (5 + \boxed{}) \times \boxed{} = \boxed{}$

답 _____

· 남학생과 여학생이 먹은 방울토마토의 수는 $(5+3) \times 5$입니다.

11 식당에 있는 음식의 가격을 나타낸 것입니다. 은지는 돈가스를 먹었고, 지혁이는 김밥과 라면을 먹었습니다. 은지는 지혁이보다 얼마를 더 내야 하는지 구하세요.

메뉴	김밥	떡볶이	돈가스	라면
가격(원)	2500	3000	8000	3500

(   )

지혁이는 $(2500+3500)$원을 내야 하므로 ( )가 있는 식으로 나타내어 답을 구해봐요.

01 가장 먼저 계산해야 하는 부분에 ◯표 하세요.

$$15+84\div42\times2-1$$

02 보기 와 같이 계산 순서를 나타내어 보세요.

$$20+36\div4-3$$

[03~04] ☐ 안에 알맞은 수를 써넣으세요.

03 $3\times8\div6=\boxed{}\div6$

$=\boxed{}$

04 $(7+11)\div3-2=\boxed{}\div3-2$

$=\boxed{}-2$

$=\boxed{}$

[05~07] 계산해 보세요.

05 $90-54\div6+8$

06 $13+30\div(3\times2)$

07 $2\times(40-32)+36\div6$

08 계산 결과를 찾아 선으로 이으세요.

$5\times(4+3)-6$ •

$5\times4+3-6$ •

• 17

• 21

• 29

09 계산 결과를 비교하여 ◯ 안에 >, =, <를 알맞게 써넣으세요.

$$123-16+50 \quad \bigcirc \quad 123-(16+50)$$

1

12 다음 중 ( )가 없어도 계산 결과가 같은 것을 찾아 기호를 쓰세요.

 ㉠ $82-(16+23)$ ㉡ $20+(25\div 5)$
 ㉢ $(18+18)\div 9$ ㉣ $16\div(4\times 2)$

      (   )

[10~11] 보기 와 같이 계산 순서를 나타내고 계산해 보세요.

보기

$$30-15\div 3+20=30-5+20$$
$$=25+20$$
$$=45$$
①
②
③

10 $48\div(16-8)+5$

11 $15+5\times 9\div 3-8$

13 다음 식의 계산 결과보다 7 큰 수를 구하세요.

$$175-72\div 9\times 3+25$$

      (   )

14 계산이 잘못된 곳을 찾아 옳게 고쳐 계산해 보세요.

$$20+(18-3)\div 5=20+15\div 5$$
$$=35\div 5$$
$$=7$$

⇩

$$20+(18-3)\div 5$$

15 계산 결과가 큰 것부터 차례로 기호를 쓰세요.

> ㉠ $2 \times (135 \div 5)$
> ㉡ $120 - 88 + 9$
> ㉢ $79 - 16 \div 4 + 7$

(   )

16 하나의 식으로 나타내어 계산해 보세요.

> 84에서 4와 12의 곱을
> 뺀 후 11을 더한 수

식 $84 - \boxed{} \bigcirc \boxed{} + 11 = \boxed{}$

답 _____

17 유미는 딱지를 75장 가지고 있었습니다. 언니에게서 12장을 받고 동생에게 9장을 주었습니다. 유미가 가지고 있는 딱지는 모두 몇 장인지 하나의 식으로 나타내어 구하세요.

식 $75 + \boxed{} - \boxed{} = \boxed{}$

답 _____

18 영규는 과자를 한 판에 30개씩 3판 구워서 남김 없이 5상자에 똑같이 나누어 담았습니다. 한 상자에 들어 있는 과자는 몇 개인지 하나의 식으로 나타내어 구하세요.

식 $30 \times \boxed{} \div \boxed{} = \boxed{}$

답 _____

19 온도를 나타내는 단위에는 섭씨(℃)와 화씨(℉)가 있습니다. 다음을 보고 현재 기온 화씨 68℉는 섭씨로 나타내면 몇 ℃인지 구하세요.

> 화씨온도에서 32를 뺀 수에 5를 곱하고 9로 나누면 섭씨온도입니다.

(   )

20 다음 식이 성립하도록 (   )로 묶어 보세요.

> $8 \times 13 - 7 + 20 = 68$

스스로 학습장은 이 단원에서 배운 것을 확인하는 코너입니다.
몰랐던 것은 꼭 다시 공부해서 내 것으로 만들어 보아요.

• 스피드 정답표 3쪽, 정답 20쪽

스스로 학습장

※ 콜럼버스와 수호, 예지가 계산한 것입니다. 계산이 <u>잘못된</u> 곳을 찾아 옳게 고쳐 계산해 보세요.

1

$$36-10+5\times6=26+5\times6$$
$$=31\times6$$
$$=186$$

$\Rightarrow$

$$36-10+5\times6$$

2

$$72\div(9-5)+7=8-5+7$$
$$=3+7$$
$$=10$$

$\Rightarrow$

$$72\div(9-5)+7$$

3

$$42-(9+3)\times2=42-12\times2$$
$$=30\times2$$
$$=60$$

$\Rightarrow$

$$42-(9+3)\times2$$

1. 자연수의 혼합 계산

2

약수와 배수

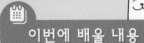

QR 코드를 찍으면
2단원 개념 동영상
강의를 볼 수 있어요

이번에 배울 내용

- 약수와 배수 알아보기
- 곱을 이용하여 약수와 배수의 관계를 알아보기
- 공약수와 최대공약수
- 최대공약수를 구하는 방법 알아보기
- 공배수와 최소공배수
- 최소공배수를 구하는 방법 알아보기

우리 중 48명이 배 3대에 똑같이 나누어 타고 먼저 육지로 간다. 준비하도록!

뭐야, 그럼 배 한 대에 몇 명씩 타야 하지?

흠…… 도대체 어떻게 계산하는 거야?

윽! 모… 모르겠어.

어?

핀손, 그건 나눗셈으로 계산하면 돼.

뭐?

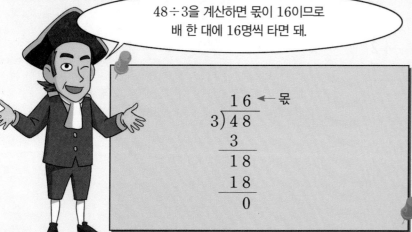

48÷3을 계산하면 몫이 16이므로 배 한 대에 16명씩 타면 돼.

$$3 \overline{)48} \quad 16 \leftarrow 몫$$
$$\underline{3}$$
$$18$$
$$\underline{18}$$
$$0$$

뭐야! 첨부터 16명씩 타라고 말해주면 쉽잖아.

이 정도는 계산할 줄 알았지.

하하하~.

콜럼버스! 쟤 정말 미워!

배를 내려라!! 육지로 간다!!

늠름~

준비 학습

1 □ 안에 알맞은 수를 써넣으세요.

(1) $5 \times 9 = 45$

$45 \div \boxed{} = 9$

$45 \div \boxed{} = 5$

(2) $30 \div 6 = 5$

$5 \times \boxed{} = 30$

$6 \times \boxed{} = 30$

2 계산해 보세요.

(1)
$$\begin{array}{r} 2\ 5 \\ \times\ \ \ 3 \\ \hline \end{array}$$

(2)
$$\begin{array}{r} 7\ 3 \\ \times\ \ \ 4 \\ \hline \end{array}$$

(3)
$$\begin{array}{r} 3\ 5 \\ \times\ \ \ 6 \\ \hline \end{array}$$

(4)
$$\begin{array}{r} 4\ 2 \\ \times\ \ \ 7 \\ \hline \end{array}$$

3 나눗셈을 계산하여 몫이 <u>다른</u> 하나에 ○표 하세요.

| $48 \div 4$ | $65 \div 5$ | $91 \div 7$ |

(   ) (   ) (   )

개념 체크 ① ◀ 3학년 1학기 3단원

곱셈과 나눗셈의 관계

• 곱셈식을 나눗셈식 2개로 바꾸기

$2 \times 4 = 8$

$8 \div 2 = 4$

$8 \div 4 = 2$

• 나눗셈식을 곱셈식 2개로 바꾸기

$6 \div 3 = 2$

$2 \times 3 = 6$

$3 \times 2 = 6$

개념 체크 ② ◀ 3학년 1학기 4단원

올림이 있는 (몇십몇)×(몇)

$$\begin{array}{r} 1\ \ \ \\ 2\ 3 \\ \times\ \ \ 5 \\ \hline 1\ 1\ 5 \end{array}$$

$3 \times 5 = 15$

$2 \times 5 = 10,\ 10 + 1 = 11$

개념 체크 ③ ◀ 3학년 2학기 2단원

(몇십몇)÷(몇)

$$\begin{array}{r} 1\ 6 \\ 3\overline{)4\ 8} \\ 3\ \ \ \\ \hline 1\ 8 \\ 1\ 8 \\ \hline 0 \end{array}$$

4 빈칸에 알맞은 수를 써넣으세요.

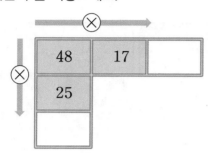

5 □ 안에 알맞은 수를 써넣으세요.

(1)

$32\overline{)544}$
$\underline{32}$
224

(2)

$18\overline{)450}$

6 구슬 280개를 한 상자에 40개씩 담아 포장하려고 합니다. 상자는 몇 개 필요할까요?

식 _____

답 _____

개념 체크 **4** ◀ 3학년 2학기 1단원

(몇십몇)×(몇십몇)

$$\begin{array}{r} 5\ 3 \\ \times\ 2\ 8 \\ \hline 4\ 2\ 4 \end{array}$$ ← 53×8
$$1\ 0\ 6\ 0$$ ← 53×20
$$\begin{array}{r} \hline 1\ 4\ 8\ 4 \end{array}$$

개념 체크 **5** ◀ 4학년 1학기 3단원

(세 자리 수)÷(두 자리 수)

　　　　3 1 ← 30+1
$25\overline{)775}$
　　　7 5
　　　2 5
　　　2 5
　　　　0

개념 체크 **6** ◀ 4학년 1학기 3단원

몇십으로 나누기

$210÷30=7$　　　$30\overline{)210}$ 　7
　　　　　　　　　　　　2 1 0
　　　　　　　　　　　　　0

2

약수와 배수

왜! 드디어 내가……. 신대륙을 찾았다

우꺄~ 앳!

콜럼버스, 저들은 누구지? 이곳에 사는 원주민들인가 봐.

우 꺄 우 꺄

뭐라고 쓰여 있어? 12의 약수를 구하라는군.

흠~ 또, 뭐라는 거지? 퉁 퉁

이 섬에 들어 오려면 이문제를 풀어야 한대.

난… 약수를 모르는데!! 약수는 어떤 수를 나누어떨어지게 하는 수야.

12를 나누어떨어지게 하는 수가 12의 약수이니까
1, 2, 3, 4, 6, 12야.

$$12 \div 1 = 12 \quad 12 \div 2 = 6 \quad 12 \div 3 = 4$$
$$12 \div 4 = 3 \quad 12 \div 6 = 2 \quad 12 \div 12 = 1$$

⇨ 12의 약수: 1, 2, 3, 4, 6, 12

→ 12를 나누어떨어지게 하는 수

우에 우에~ 호이 호이~

◎ 약수 알아보기

약수: 어떤 수를 나누어떨어지게 하는 수

| 12÷1=12 | 12÷2=6 | 12÷3=4 |
| 12÷4=3 | 12÷6=❶ | 12÷12=❷ |

어떤 수 ★의 약수에는 1과 ★이 항상 포함돼요.

⇨ 12의 약수: 1, 2, 3, 4, 6, 12

└─▶ 12를 나누어떨어지게 하는 수

✪ 정답 ❶ 2 ❷ 1

1 나눗셈식을 보고 8의 약수를 모두 구하세요.

8의 약수는 8을 나누어떨어지게 하는 수예요.

8÷1=8	8÷2=4	8÷3=2…2
8÷4=2	8÷5=1…3	8÷6=1…2
8÷7=1…1	8÷8=1	

8의 약수 : (   )

2 안에 알맞은 수를 써넣고 4의 약수를 모두 구하세요.

4÷□=4   4÷□=2

4÷□=1…1   4÷□=1

4의 약수 : (   )

[3~4] 약수를 모두 구하세요.

3 | 15의 약수

(   )

4 | 6의 약수

(   )

2

약수와 배수

헥헥! 너무 힘들다.

그러게, 나도~.

헤엄쳐 왔더니 너무 배고파.

나도~

벌러덩

얘들아, 우선 근처에서 먹을 걸 찾아보자.

앗! 저기 나무에 바나나가 열렸네.

와~.

와~ 16개나 열렸다. 16은 4의 배수인데……

4의 배수요?

배수는 어떤 수를 1배, 2배, 3배……한 수야.
4를 4배한 4×4=16도 4의 배수지.

> 4를 1배 한 수: $4 \times 1 = 4$,
> 4를 2배 한 수: $4 \times 2 = 8$,
> 4를 3배 한 수: $4 \times 3 = 12$,
> 4를 4배 한 수: $4 \times 4 = 16$
> ⋮
> ⇨ 4의 배수: 4, 8, 12, 16……

맛있게 먹겠습니다.

콜럼버스 아저씨와 선장 아저씨는 어디로 갔을까?

앗! 무슨 소리가 들려.

콜럼버스와 핀손 선장이야.

원주민과 같이 어디를 가는 거죠?

우리도 따라가 보자!

◎ 배수 알아보기

• 배수: 어떤 수를 1배, 2배, 3배……한 수

4를 1배 한 수: $4 \times 1 = 4$,　　4를 2배 한 수: $4 \times 2 = $ ❶ ,

4를 3배 한 수: $4 \times 3 = $ ❷ , 4를 4배 한 수: $4 \times 4 = 16$

⋮

➡ 4의 배수: 4, 8, 12, 16……

어떤 수의 배수는
셀 수 없이 많아요.

◑ 정답 ❶ 8　❷ 12

1 □ 안에 알맞은 수를 써넣고 3의 배수를 작은 수부터 차례로 구하세요.

3을 1배 한 수: $3 \times 1 = 3$,　　3을 2배 한 수: $3 \times 2 = $ □ ,

3을 3배 한 수: $3 \times 3 = $ □ ,　3을 4배 한 수: $3 \times 4 = $ □

⋮

➡ 3의 배수: 3, □ , □ , □ ……

2 6의 배수를 모두 찾아 ◯표 하세요.

12,　15,　16,　24,　25,　30,　32

[3~4] 배수를 가장 작은 수부터 3개만 써 보세요.

3 ┌ 5의 배수 ┐

(　　　　　　　　　)

어떤 수의 배수를
가장 작은 수부터
구하라고?

응! 어떤 수를
1배, 2배, 3배……한
수를 차례로 구해봐.

4 ┌ 9의 배수 ┐

(　　　　　　　　　)

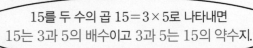

15를 두 수의 곱 15＝3×5로 나타내면
15는 3과 5의 배수이고 3과 5는 15의 약수지.

15는 3과 5의 배수

$$15 = 3 \times 5$$

3과 5는 15의 약수

◎ **약수와 배수의 관계**

15는 3과 5의 배수

$15 = 3 × 5$

3과 5는 15의 약수

┌ 15는 3과 5의 배수입니다.
└ 3과 ❶ 는 15의 약수입니다.

곱셈식에서 두 수의 곱은 두 수의 배수예요.

○ 정답 ❶ 5

---

1 12를 여러 수의 곱으로 나타내어 약수와 배수의 관계를 알아보려고 합니다. 물음에 답하세요.

(1) 12를 여러 수의 곱으로 나타내어 보세요.

$12 = 1 × 12$ $12 = \boxed{} × 3$

$12 = 2 × \boxed{}$ $12 = \boxed{} × 2 × 3$

(2) (1)의 식을 보고 □ 안에 알맞은 수를 써넣으세요.

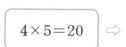

┌ 12는 1, 2, □, □, 6, □ 의 배수입니다.
└ 1, 2, □, 4, 6, □ 는 12의 약수입니다.

2 식을 보고 □ 안에 '약수'와 '배수'를 알맞게 써넣으세요.

$4 × 5 = 20$ ⇨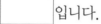

┌ 20은 4와 5의 □ 입니다.
└ 4와 5는 20의 □ 입니다.

3 두 수가 약수와 배수의 관계인 것에 ○표 하세요.

| 7 | 21 | | 3 | 25 |

(   )   (   )

큰 수를 작은 수로 나누었더니 나누어 떨어져요.

그럼 그 두 수는 약수와 배수의 관계야.

| 5 | 35 |

$35 ÷ 5 = 7$이므로 5와 35는 약수와 배수의 관계

2
약수와 배수

약수 알아보기

[01~02] 약수를 구하려고 합니다. □ 안에 알맞은 수를 써넣으세요.

01
$$14 \div 1 = 14, \quad 14 \div \boxed{} = 7$$
$$14 \div \boxed{} = 2, \quad 14 \div \boxed{} = 1$$

⇨ 14의 약수: $\boxed{}$, $\boxed{}$, $\boxed{}$, $\boxed{}$

02
$$21 \div 1 = 21, \quad 21 \div \boxed{} = 7$$
$$21 \div \boxed{} = 3, \quad 21 \div \boxed{} = 1$$

⇨ 21의 약수: $\boxed{}$, $\boxed{}$, $\boxed{}$, $\boxed{}$

[03~06] 약수를 모두 구하세요.

03
| 20의 약수 |

(   )

04
| 28의 약수 |

(   )

05
| 49의 약수 |

(   )

06
| 30의 약수 |

(   )

배수 알아보기

[07~08] 배수를 작은 수부터 구하려고 합니다.
□ 안에 알맞은 수를 써넣으세요.

07
2를 1배 한 수: $2 \times 1 = \boxed{}$

2를 2배 한 수: $2 \times 2 = \boxed{}$

2를 3배 한 수: $2 \times 3 = \boxed{}$

⇨ 2의 배수: $\boxed{}$, $\boxed{}$, $\boxed{}$ ……

08
11을 1배 한 수: $11 \times 1 = \boxed{}$

11을 2배 한 수: $11 \times 2 = \boxed{}$

11을 3배 한 수: $11 \times 3 = \boxed{}$

⇨ 11의 배수: $\boxed{}$, $\boxed{}$, $\boxed{}$ ……

[09~11] 배수를 가장 작은 수부터 5개만 써 보세요.

09 ┃ 7의 배수 ┃

(　　　　　　　　　　　　)

10 ┃ 12의 배수 ┃

(　　　　　　　　　　　　)

11 ┃ 15의 배수 ┃

(　　　　　　　　　　　　)

약수와 배수의 관계

[12~13] 식을 보고 □ 안에 알맞은 수를 써넣으세요.

12 ┃ $10 = 1 \times 10,\ 10 = 2 \times 5$ ┃

┌ 10은 1, □, □, 10의 배수입니다.
└ 1, □, □, 10은 10의 약수입니다.

13
┃ $16 = 1 \times 16,\ 16 = 2 \times 8,\ 16 = 4 \times 4$
　$16 = 2 \times 2 \times 4,\ 16 = 2 \times 2 \times 2 \times 2$ ┃

┌ 16은 1, □, □, 8, □의 배수입니다.
└ 1, □, □, 8, □은 16의 약수입니다.

[14~18] 두 수가 약수와 배수의 관계인 것에 ○표, 아닌 것에 ×표 하세요.

14 ┃ 5 ┃ 40 ┃

(　　　　　　　　　　　　)

15 ┃ 7 ┃ 32 ┃

(　　　　　　　　　　　　)

16 ┃ 48 ┃ 6 ┃

(　　　　　　　　　　　　)

17 ┃ 90 ┃ 9 ┃

(　　　　　　　　　　　　)

18 ┃ 81 ┃ 4 ┃

(　　　　　　　　　　　　)

2
약수와 배수

교과서 **개념** 공약수와 최대공약수를 구할 수 있나요?

음…… 여기 어디 적혀 있었는데…….

뒤 적 뒤 적

찾 았 다

마시면 잠이 드는 약을 만드는 방법!

쿡 쿡 쿡

이 약초 잎을 8과 12의 최대공약수만큼 넣으라고?

핀손, 뭐해?

최대공약수?

내가 수학 공부 좀 하려고 하는데…….

오! 정말?

그… 그게 8과 12의 최대공약수를 구하는 건데……

아! 내가 알려 줄게!

으흑 덜 덜

공약수는 두 수의 공통된 약수이고 최대공약수는 두 수의 공약수 중에서 가장 큰 수이므로 8과 12의 최대공약수는 4야.

8의 약수: 1, 2, 4, 8
12의 약수: 1, 2, 3, 4, 6, 12
⇨ 8과 12의 공약수: 1, 2, 4
  8과 12의 최대공약수: 4

어때? 쉽지?

ㄱ… ㄱ래

울 찔

아무튼 수학 공부를 한다니 대단하군.

뭘~.

공부도 좋지만, 이곳 원주민들과도 친해지도록 해.

그래.

◎ **공약수와 최대공약수**

• 공약수: 두 수의 공통된 약수
• 최대공약수: 두 수의 공약수 중에서 가장 큰 수

8의 약수	①, ②, ④, 8
12의 약수	①, ②, 3, ④, 6, 12

⇨ ┌ 8과 12의 공약수: 1, [①] , 4

└ 8과 12의 최대공약수: [②]

→ 8과 12의 공약수 중에서 가장 큰 수

두 수의 약수를 구한 후 공약수와 최대공약수를 구해봐요.

◐ 정답 ❶ 2 ❷ 4

2
약수와 배수

1 14와 35의 공약수와 최대공약수를 구하세요.

14의 약수: 1, 2, 7, 14
35의 약수: 1, 5, 7, 35

공약수 (   ), 최대공약수 (   )

2 15와 21의 공약수와 최대공약수를 구하려고 합니다. 물음에 답하세요.

(1) 15와 21의 약수를 모두 구하세요.

15의 약수	
21의 약수	

(2) 위 (1)에서 15와 21의 공약수를 모두 구하세요.

(   )

(3) 15와 21의 최대공약수를 찾고, 최대공약수의 약수를 구하세요.

최대공약수 (   )
최대공약수의 약수 (   )

두 수의 최대공약수의 약수는?

두 수의 공약수와 같아.

[3~4] 두 수의 공약수를 모두 구하세요.

3 | 16, 28 |

(   )

4 | 21, 35 |

(   )

교과서 개념

최대공약수는 어떻게 구하나요?

약초가 여기 어디 있을 텐데……

찾았다

부스럭

누구냐!!

잡았다! 이 녀석!

놔주세요!

다 다 다 다

너 거기서 어떻게 나와 여기에 있는 거지?

너 말고 다른 녀석들도 탈출 했겠군!

놔 줘 요

어쨌든 상관없다! 지금 중요한 건 그게 아니니까~.

마침 잘 됐다!

이 문제 좀 풀어 봐!

45와 75의 최대공약수요? 아저씨, 수학 못 해요?

야! 그냥 얼른 문제나 풀어!

버럭

네—

45와 75를 1 이외의 공약수로 나누어 나눈 공약수들의 곱이 두 수의 최대공약수이므로 5 × 3 = 15네요.

이 약초 잎은 15개 넣으면 되는군.

뭐지?

$$
\begin{array}{r}
45와 75의 \rightarrow 5) \overline{45 \quad 75} \\
공약수 \quad 9와 15의 \rightarrow 3) \overline{9 \quad 15} \\
공약수 \qquad 3 \quad 5
\end{array}
$$

→ 1 이외의 공약수가 없을 때까지 나눠요.

⇨ 45와 75의 최대공약수: $5 \times 3 = 15$

◎ 최대공약수를 구하는 방법

• 두 수의 곱으로 나타낸 곱셈식을 이용하여 최대공약수 구하기

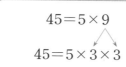

$$12=1\times12 \quad 12=2\times⑥ \quad 12=3\times4$$
$$18=1\times18 \quad 18=2\times9 \quad 18=3\times⑥$$

→ 공통으로 들어 있는 수 중 가장 큰 수

방법1 $12=2\times6$ $18=3\times6$

⇩   ⇩

12와 18의 최대공약수

방법2 12와 18의 공약수 ⇨ $6\,)\,\overline{12\quad18}$

$\,2\quad\;\;3$ → 18을 6으로 나눈 몫

12와 18의 최대공약수: ❶ ▢

• 여러 수의 곱으로 나타낸 곱셈식을 이용하여 최대공약수 구하기

$$45=5\times9 \qquad\qquad 75=5\times15$$
$$45=5\times3\times3 \qquad\qquad 75=5\times3\times5$$

방법1 $45=5\times3\times3$ $75=5\times3\times5$

‖   ‖

15   15

⇩   ⇩

45와 75의 최대공약수

방법2 45와 75의 공약수 ⇨ $5\,)\,\overline{45\quad75}$

9와 15의 공약수 ⇨ $3\,)\,\overline{9\quad15}$

1 이외의 공약수가 ← $\overline{3\quad\;\;5}$
없을 때까지 나눠요.

45와 75의 최대공약수: $5\times3=$ ❷ ▢

○ 정답 ❶ 6 ❷ 15

2 약수와 배수

[1~2] 20과 30을 여러 수의 곱으로 나타낸 곱셈식을 보고 물음에 답하세요.

$$20=1\times20 \quad 20=2\times10 \quad 20=4\times5 \quad 20=2\times2\times5$$
$$30=1\times30 \quad 30=2\times15 \quad 30=3\times10 \quad 30=5\times6 \quad 30=2\times3\times5$$

1 20과 30의 최대공약수를 구하기 위한 여러 수의 곱셈식을 써 보세요.

$$20=2\times\boxed{}\times\boxed{}, \qquad 30=2\times\boxed{}\times\boxed{}$$

2 20과 30의 최대공약수를 구하세요.

20과 30의 최대공약수: $2\times\boxed{}=\boxed{}$

[3~4] 두 수의 최대공약수를 구하려고 합니다. ▢ 안에 알맞은 수를 써넣으세요.

3 $3\,)\,\overline{9\quad27}$
$3\,)\,\overline{3\quad\;\;9}$
$\,\boxed{}\quad\boxed{}$

⇨ 9와 27의 최대공약수
: $3\times\boxed{}=\boxed{}$

4 $2\,)\,\overline{28\quad42}$
$\boxed{}\,)\,\overline{14\quad21}$
$\,2\quad\boxed{}$

⇨ 28과 42의 최대공약수
: $2\times\boxed{}=\boxed{}$

1 이외의 공약수로 나누어 몫을 아래에 쓰고 1 이외의 공약수가 없을 때까지 나눠요.

공약수와 최대공약수

[01~02] 공약수와 최대공약수를 구하려고 합니다.
□ 안에 알맞은 수를 써넣으세요.

01
- 6의 약수: 1, □, □, □
- 9의 약수: □, □, □

⇨
- 6과 9의 공약수: □, □
- 6과 9의 최대공약수: □

02
- 18의 약수: 1, □, □, □, □, □
- 15의 약수: □, □, □, □

⇨
- 18과 15의 공약수: □, □
- 18과 15의 최대공약수: □

[03~06] 두 수의 공약수를 모두 구하세요.

03 12, 16

( )

04 10, 20

( )

05 15, 30

( )

06 6, 20

( )

[07~09] 두 수의 최대공약수를 구하세요.

07 4, 12

( )

08 14, 28

( )

09 15, 42

( )

최대공약수를 구하는 방법

[10~11] 식을 보고 두 수의 최대공약수를 구하세요.

10
$12=4\times3$
$16=4\times4$

(   )

11
$42=2\times3\times7$
$56=2\times2\times2\times7$

(   )

[12~15] 두 수의 최대공약수를 구하려고 합니다. ☐ 안에 알맞은 수를 써넣으세요.

12 ☐) 15 20
           3   4

⇨ 15와 20의 최대공약수: ☐

13 ☐) 27 21
           9   7

⇨ 27과 21의 최대공약수: ☐

14
2) 24   40
2) 12   20
☐)   6   ☐
      3   5

⇨ 24와 40의 최대공약수
: $2\times$☐$\times$☐$=$☐

15
2) 32   56
2) 16   28
☐)   8   ☐
      4   7

⇨ 32와 56의 최대공약수
: $2\times$☐$\times$☐$=$☐

[16~17] 두 수의 최대공약수를 구하세요.

16   45, 27

(   )

17   20, 24

(   )

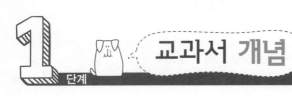

드디어 잠이 오는 약 완성이다!

크 크

아저씨, 제 책 빨리 돌려 주세요.

그럴 순 없지. 일단 넌 여기서 기다려.

저 약을 누구에게 먹이려는 거지?

크 하 하 하

콜럼버스!

앗! 핀슨~.

자, 이거 마셔~.

이게 뭔가?

건강에 좋은 음료라네~. 어서 마셔.

고마워~.

꿀꺽

크크~ 콜럼버스, 네가 잠든 사이에 난 너보다 원주민들과 더 친해지겠어.

앗! 이상하다

이봐! 원주민! 우리 친하게 지내보자.

호이~ 호이따~

이게 뭐야? 2와 3의 최소공배수? 이건 책에 있던 내용이군.

힐끔

2와 3의 공통된 배수인 공배수 중에서 가장 작은 수가 최소공배수이니 6이지. 어렵지 않지?

2의 배수: 2, 4, ⑥, 8, 10, ⑫, 14, 16, ⑱ ……
3의 배수: 3, ⑥, 9, ⑫, 15, ⑱ ……

→ 2와 3의 공배수: 6, 12, 18 ……
　 2와 3의 최소공배수: 6

요기~ 요로~

크 하 하 하

◎ 공배수와 최소공배수

• 공배수: 두 수의 공통된 배수
• 최소공배수: 두 수의 공배수 중에서 가장 작은 수

| 2의 배수 | 2, 4, ⑥, 8, 10, ⑫, 14, 16, ⑱ …… |
| 3의 배수 | 3, ⑥, 9, ⑫, 15, ⑱, 21, 24, 27 …… |

⇨ 2와 3의 공배수: 6, 12, 18……

2와 3의 최소공배수: ❶ [　]
↳ 2와 3의 공배수 중에서 가장 작은 수

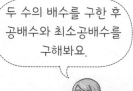
두 수의 배수를 구한 후 공배수와 최소공배수를 구해봐요.

◉ 정답 ❶ 6

1 6과 8의 공배수를 모두 찾아 ◯표 하고, 최소공배수를 구하세요.

| 6의 배수 | 6, 12, 18, 24, 30, 36, 42, 48, 54, 60, 66, 72…… |
| 8의 배수 | 8, 16, 24, 32, 40, 48, 56, 64, 72, 80, 88…… |

(　　　　　　　　　　)

2 4와 6의 공배수와 최소공배수를 구하려고 합니다. 물음에 답하세요.

(1) 4와 6의 배수를 작은 수부터 써 보세요.

| 4의 배수 | 4 | 8 | | | | | | | | …… |
| 6의 배수 | 6 | | | | | | | | | …… |

(2) 위 (1)의 표에서 4와 6의 공배수를 찾아 가장 작은 수부터 3개만 써 보세요.

(　　　　　　　　)

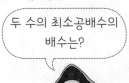
두 수의 최소공배수의 배수는?

두 수의 공배수와 같아.

(3) 4와 6의 최소공배수를 찾고, 최소공배수의 배수를 가장 작은 수부터 3개만 써 보세요.

최소공배수 (　　　　　　)
최소공배수의 배수 (　　　　　　)

[3~4] 두 수의 공배수를 가장 작은 수부터 3개만 써 보세요.

3 | 10, 15 |

(　　　　　　)

4 | 5, 7 |

(　　　　　　)

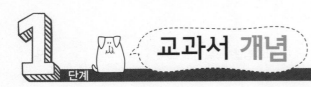

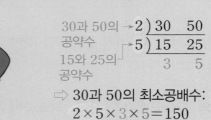

30과 50을 1 이외의 공약수로 나누어 나눈 공약수와 남은 몫을 모두 곱하면 되니까 30과 50의 최소공배수는 150이지.

$$\begin{array}{r|cc} 2 & 30 & 50 \\ \hline 5 & 15 & 25 \\ \hline & 3 & 5 \end{array}$$

⇨ 30과 50의 최소공배수:
$2 \times 5 \times 3 \times 5 = 150$

개념 클릭

• 스피드 정답표 5쪽, 정답 24쪽 월 일

◎ 최소공배수를 구하는 방법

• 두 수의 곱으로 나타낸 곱셈식을 이용하여 최소공배수 구하기

$$12=1\times12 \qquad 12=2\times6 \qquad 12=3\times4$$
$$20=1\times20 \qquad 20=2\times10 \qquad 20=4\times5$$

→ 공통으로 들어 있는 수 중 가장 큰 수

방법1 $12=3\times4 \qquad 20=4\times5$

　　　12와 20의 최소공배수: $3\times4\times5=60$

방법2
$$4\,)\underline{12 \quad 20}$$
$$\,3 \quad\; 5$$

12와 20의 최소공배수: $4\times3\times5=$ ❶

• 여러 수의 곱으로 나타낸 곱셈식을 이용하여 최소공배수 구하기

$$30=2\times15 \qquad\qquad 50=5\times10$$
$$30=2\times3\times5 \qquad\quad 50=5\times2\times5$$

방법1 $30=3\times2\times5 \qquad 50=2\times5\times5$

　　　30과 50의 최소공배수: $3\times2\times5\times5=150$

방법2
30과 50의 공약수 →
$$2\,)\underline{30 \quad 50}$$
15와 25의 공약수 →
$$5\,)\underline{15 \quad 25}$$
$$\;3 \quad\;\; 5$$

→ 1 이외의 공약수가 없을 때까지 나눠요.

30과 50의 최소공배수: $2\times5\times3\times5=$ ❷

▶ 정답 ❶ 60 ❷ 150

2
약수와 배수

[1~2] 27과 45를 여러 수의 곱으로 나타낸 곱셈식을 보고 물음에 답하세요.

$$27=1\times27 \quad 27=3\times9 \quad 27=3\times3\times3$$
$$45=1\times45 \quad 45=3\times15 \quad 45=5\times9 \quad 45=3\times3\times5$$

1 27과 45의 최소공배수를 구하기 위한 여러 수의 곱셈식을 써 보세요.

$$27=3\times\boxed{}\times\boxed{}, \qquad 45=3\times\boxed{}\times\boxed{}$$

2 27과 45의 최소공배수를 구하세요.

27과 45의 최소공배수: $3\times3\times\boxed{}\times\boxed{}=\boxed{}$

[3~4] 두 수의 최소공배수를 구하려고 합니다. □ 안에 알맞은 수를 써넣으세요.

3
$$2\,)\underline{12 \quad\; 8}$$
$$2\,)\underline{\;6 \quad \boxed{}}$$
$$\,\boxed{} \quad \boxed{}$$

⇨ 12와 8의 최소공배수
: $2\times2\times\boxed{}\times\boxed{}=\boxed{}$

4
$$3\,)\underline{30 \quad 18}$$
$$2\,)\underline{10 \quad\; 6}$$
$$\,\boxed{} \quad \boxed{}$$

⇨ 30과 18의 최소공배수
: $3\times2\times\boxed{}\times\boxed{}=\boxed{}$

두 수의 공약수로 나누어 나눈 공약수와 남은 몫을 모두 곱하여 최소공배수를 구해요.

공배수와 최소공배수

[01~02] 공배수와 최소공배수를 구하려고 합니다.
□ 안에 알맞은 수를 써넣으세요. (단, 배수와 공배수
는 가장 작은 수부터 쓰세요.)

01

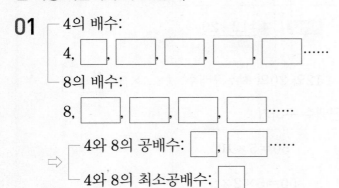

4의 배수:

4, ☐, ☐, ☐, ☐ ⋯⋯

8의 배수:

8, ☐, ☐, ☐ ⋯⋯

⇨ 4와 8의 공배수: ☐, ☐ ⋯⋯

4와 8의 최소공배수: ☐

02

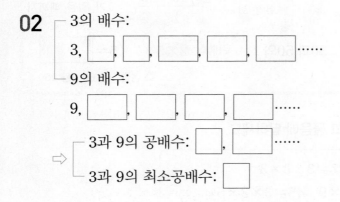

3의 배수:

3, ☐, ☐, ☐, ☐ ⋯⋯

9의 배수:

9, ☐, ☐, ☐ ⋯⋯

⇨ 3과 9의 공배수: ☐, ☐ ⋯⋯

3과 9의 최소공배수: ☐

[03~06] 두 수의 공배수를 가장 작은 수부터 3개만
써 보세요.

03 | 2, 8 |

( )

04 | 5, 15 |

( )

05 | 6, 12 |

( )

06 | 12, 9 |

( )

[07~09] 두 수의 최소공배수를 구하세요.

07 | 3, 6 |

( )

08 | 8, 16 |

( )

09 | 4, 9 |

( )

최소공배수를 구하는 방법

[10~11] 식을 보고 두 수의 최소공배수를 구하세요.

10

$$30 = 6 \times 5$$
$$42 = 6 \times 7$$

(　　　　　　　　)

11

$$30 = 2 \times 3 \times 5$$
$$70 = 2 \times 5 \times 7$$

(　　　　　　　　)

12 24와 30의 최소공배수를 구하세요.

$$6\,)\,\underline{24\quad30}$$
$$\quad\ 4\quad\ 5$$

(　　　　　　　　)

13 14와 42의 최소공배수를 구하세요.

$$2\,)\,\underline{14\quad42}$$
$$7\,)\,\underline{\ 7\quad21}$$
$$\quad\ 1\quad\ 3$$

(　　　　　　　　)

[14~15] 두 수의 최소공배수를 구하려고 합니다. □ 안에 알맞은 수를 써넣으세요.

14

$$9\,)\,\underline{18\quad63}$$
$$\quad\ \boxed{}\quad\boxed{}$$

⇨ 18과 63의 최소공배수

: $9 \times \boxed{} \times \boxed{} = \boxed{}$

15

$$2\,)\,\underline{30\quad12}$$
$$\boxed{}\,)\,\underline{15\quad\boxed{}}$$
$$\qquad 5\quad\boxed{}$$

⇨ 30과 12의 최소공배수

: $2 \times \boxed{} \times \boxed{} \times \boxed{} = \boxed{}$

[16~17] 두 수의 최소공배수를 구하세요.

16

8, 24

(　　　　　　　　　　　)

17

30, 45

(　　　　　　　　　　　)

01 □ 안에 알맞은 수를 써넣고 16의 약수를 구하세요.

Tip

$$16 \div \boxed{} = 16 \quad 16 \div \boxed{} = 8 \quad 16 \div \boxed{} = 4$$

$$16 \div \boxed{} = 2 \quad 16 \div \boxed{} = 1$$

16의 약수 ⇨ _____

02 식을 보고 □ 안에 '약수'와 '배수'를 알맞게 써넣으세요.

$$4 \times 9 = 36$$

┌ 36은 4와 9의 □ 입니다.
└ 4와 9는 36의 □ 입니다.

• 약수: 어떤 수를 나누어떨어
지게 하는 수
배수: 어떤 수를 1배, 2배,
3배……한 수

03 왼쪽 수가 오른쪽 수의 약수인 것에 ○표, 아닌 것에 ×표 하세요.

7	28		6	52		15	45

(   )   (   )   (   )

오른쪽 수를 왼쪽 수로
나누어 나누어떨어지는
것을 찾아요.

04 수 배열표를 보고 4의 배수에는 ○표, 7의 배수에는 △표 하세요.

1	2	3	4	5	6	7	8	9	10
11	12	13	14	15	16	17	18	19	20
21	22	23	24	25	26	27	28	29	30
31	32	33	34	35	36	37	38	39	40

• 4를 1배, 2배, 3배……한 수
와 7을 1배, 2배, 3배……한
수를 각각 찾아봅니다.

05 두 수가 약수와 배수의 관계인 것에 ○표, 아닌 것에 ×표 하세요.

| 5 | 35 | | 7 | 43 | | 11 | 44 |

(   )   (   )   (   )

06 18과 24의 공약수와 최대공약수를 구하세요.

> 18의 약수: 1, 2, 3, 6, 9, 18
> 24의 약수: 1, 2, 3, 4, 6, 8, 12, 24

공약수 (   )

최대공약수 (   )

[07~08] 3과 4의 최소공배수를 구하려고 합니다. 물음에 답하세요.

07 3과 4의 배수를 작은 수부터 써 보세요.

3의 배수	3							……
4의 배수	4							……

08 07의 표에서 3과 4의 공배수를 모두 찾아 ○표 하고, 최소공배수를 구하세요.

(   )

Tip

• 공약수: 두 수의 공통된 약수
최대공약수: 두 수의 공약수 중에서 가장 큰 수

2

약수와 배수

3과 4의 배수를 작은 수부터 써 봐요.

09 36과 24의 최대공약수를 구하려고 합니다. ☐ 안에 알맞은 수를 써넣으세요.

$$\begin{array}{r} 2\,)\,\underline{36\quad24} \\ 2\,)\,\underline{18\quad12} \\ 3\,)\,\underline{9\quad\ 6} \\ 3\quad\ 2 \end{array}$$

$36 = 2 \times 2 \times 3 \times \boxed{}$, $24 = 2 \times 2 \times 3 \times \boxed{}$

최대공약수: $2 \times \boxed{} \times \boxed{} = \boxed{}$

Tip

· 1 이외의 공약수로 나누어 1 이외의 공약수가 없을 때까지 나눗셈을 한 후 나눈 공약수들의 곱이 두 수의 최대공약수가 됩니다.

10 15와 6의 최소공배수를 구하려고 합니다. ☐ 안에 알맞은 수를 써넣으세요.

$$\begin{array}{r} 3\,)\,\underline{15\quad6} \\ 5\quad\ 2 \end{array}$$

최소공배수: $3 \times \boxed{} \times \boxed{} = \boxed{}$

· 1 이외의 공약수로 나누어 나눈 공약수와 남은 몫을 모두 곱하면 두 수의 최소공배수가 됩니다.

11 어떤 두 수의 최대공약수가 14일 때 두 수의 공약수를 모두 써 보세요.

(   )

최대공약수가 ▲인 두 수의 공약수는 ▲의 약수와 같아요.

12 어떤 두 수의 최소공배수가 12일 때 두 수의 공배수를 가장 작은 수부터 3개 써 보세요.

(   )

· 최소공배수가 ◆인 두 수의 공배수는 ◆의 배수와 같습니다.

13 두 수의 최대공약수를 구하세요.

$$)\overline{20\quad32}$$

최대공약수: _____

Tip

20과 32를
1이 아닌 공약수로
나누어 보세요.

14 두 수의 최소공배수를 구하세요.

$$)\overline{20\quad70}$$

최소공배수: _____

15 16과 40을 어떤 수로 나누면 두 수 모두 나누어떨어집니다. 어떤 수 중에서 가장 큰 수를 구하세요.

(   )

• 어떤 수로 두 수를 나누었을 때 나누어떨어지는 수 중 가장 큰 수는 두 수의 최대공약수입니다.

16 21부터 50까지의 수 중에서 3의 배수이면서 5의 배수인 수를 모두 써 보세요.

(   )

• 3의 배수이면서 5의 배수인 수는 3과 5의 공배수입니다.

단원 평가

01 8의 배수를 구하려고 합니다. □ 안에 알맞은 수를 써넣고 8의 배수를 작은 수부터 차례로 구하세요.

- 8을 1배 한 수: $8 \times 1 =$ □

- 8을 2배 한 수: $8 \times 2 =$ □

- 8을 3배 한 수: $8 \times 3 =$ □

  ⋮

⇨ 8의 배수: □ , □ , □ ······

02 식을 보고 □ 안에 '약수'와 '배수'를 알맞게 써넣으세요.

$$2 \times 7 = 14$$

─ 14는 2와 7의 □ 입니다.

─ 2와 7은 14의 □ 입니다.

03 다음 중 3의 배수는 어느 것일까요? ··· ( )

① 19 　　② 29 　　③ 39

④ 49 　　⑤ 59

04 40의 약수를 모두 구하세요.

( )

[05~06] 다음을 보고 물음에 답하세요.

- 30의 약수: 1, 2, 3, 5, 6, 10, 15, 30
- 24의 약수: 1, 2, 3, 4, 6, 8, 12, 24

05 30과 24의 공약수를 모두 구하세요.

( )

06 30과 24의 최대공약수를 구하세요.

( )

07 28과 70의 최대공약수를 구하세요.

$$\begin{array}{r} 2\,)\underline{28\quad 70} \\ 7\,)\underline{14\quad 35} \\ 2\quad\;\; 5 \end{array}$$

⇨ 28과 70의 최대공약수: $2 \times$ □ $=$ □

08 42와 66의 최대공약수와 최소공배수를 각각 구하세요.

$$42 = 2 \times 3 \times 7$$
$$66 = 2 \times 3 \times 11$$

최대공약수 (   )

최소공배수 (   )

09 다음 중 30과 36의 공약수가 <u>아닌</u> 것은 어느 것일까요? ························ (   )

① 1   ② 2   ③ 3

④ 4   ⑤ 6

10 다음 중 두 수가 약수와 배수의 관계가 <u>아닌</u> 것을 찾아 기호를 쓰세요.

ⓐ (5, 30)   ⓑ (12, 28)

ⓒ (7, 49)   ⓓ (12, 36)

(   )

11 ◯ 안에는 두 수의 최대공약수를, △ 안에는 두 수의 최소공배수를 각각 써넣으세요.

12 □ 안에 공통으로 들어갈 수 있는 가장 작은 수는 무엇일까요? ··················· (   )

• □ 는 5와 9의 배수입니다.

• 5와 9는 □ 의 약수입니다.

① 14   ② 25   ③ 45

④ 60   ⑤ 90

13 약수의 개수가 가장 많은 수에 ◯표 하세요

(   ) (   ) (   )

14 20보다 크고 50보다 작은 자연수 중에서 6의 배수는 모두 몇 개일까요?

(   )

15 어떤 두 수의 최대공약수가 15일 때, 두 수의 공약수를 모두 구하세요.

( )

16 두 수의 최소공배수가 가장 작은 것을 찾아 기호를 쓰세요.

> ㉠ (10, 35)
> ㉡ (24, 36)
> ㉢ (18, 27)

( )

17 45와 30의 공배수를 가장 작은 수부터 3개만 써 보세요.

( )

18 사탕 21개와 과자 49개를 최대한 많은 친구들에게 남김없이 똑같이 나누어 주려고 합니다. 최대 몇 명의 친구들에게 나누어 줄 수 있을까요?

( )

[19~20] 어느 고속버스 터미널에서 첫차는 모두 오전 5시 30분에 출발하고 대전행 버스는 10분마다, 부산행 버스는 25분마다, 대구행 버스는 15분마다 출발한다고 합니다. 물음에 답하세요.

19 대전행 버스와 부산행 버스는 몇 분마다 동시에 출발할까요?

( )

20 오전 9시에 대전행 버스와 대구행 버스가 동시에 출발하였다면 다음번에 동시에 출발하는 시각은 오전 몇 시 몇 분일까요?

( )

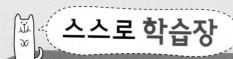

스스로 학습장은 이 단원에서 배운 것을 확인하는 코너입니다.
몰랐던 것은 꼭 다시 공부해서 내 것으로 만들어 보아요.

• 스피드 정답표 5쪽, 정답 26쪽

✳ 약수와 배수에 대하여 떠오르는 것을 정리해 보세요.

1

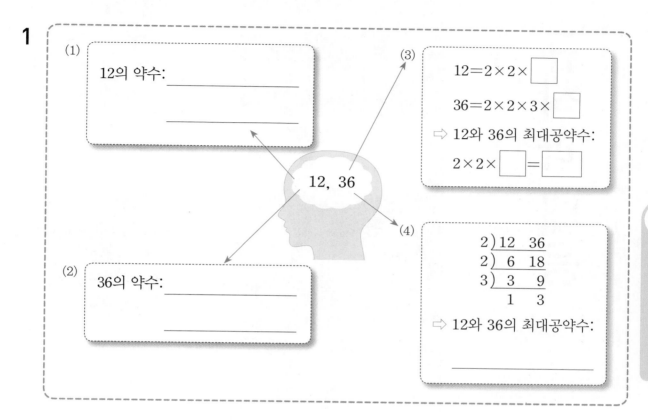

(1) 12의 약수: _____

(2) 36의 약수: _____

12, 36

(3) $12 = 2 \times 2 \times \square$

$36 = 2 \times 2 \times 3 \times \square$

➡ 12와 36의 최대공약수:

$2 \times 2 \times \square = \square$

(4)
$$\begin{array}{r} 2\,)\underline{12\quad36} \\ 2\,)\underline{\ 6\quad18} \\ 3\,)\underline{\ 3\quad\ 9} \\ 1\quad\ 3 \end{array}$$

➡ 12와 36의 최대공약수:

_____

2

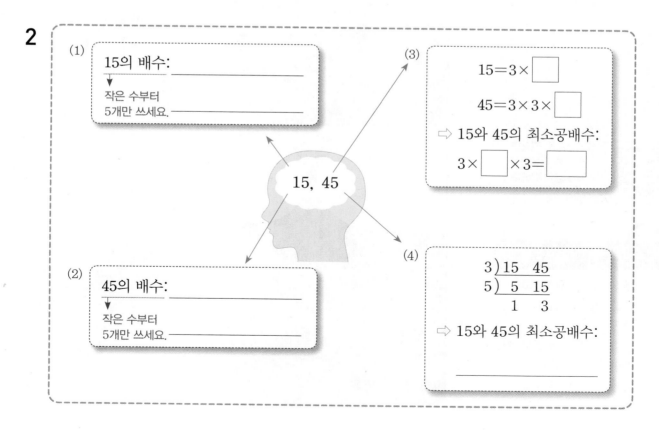

(1) 15의 배수: _____
작은 수부터
5개만 쓰세요. _____

(2) 45의 배수: _____
작은 수부터
5개만 쓰세요. _____

15, 45

(3) $15 = 3 \times \square$

$45 = 3 \times 3 \times \square$

➡ 15와 45의 최소공배수:

$3 \times \square \times 3 = \square$

(4)
$$\begin{array}{r} 3\,)\underline{15\quad45} \\ 5\,)\underline{\ 5\quad15} \\ 1\quad\ 3 \end{array}$$

➡ 15와 45의 최소공배수:

_____

2 약수와 배수

3

규칙과 대응

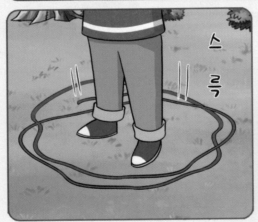 

QR 코드를 찍으면
3단원 개념 동영상
강의를 볼 수 있어요.

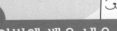

📅 이번에 배울 내용

🔹 두 양 사이의 관계 알아보기

🔹 대응 관계를 식으로 나타내기

🔹 생활 속에서 대응 관계를 찾아 식으로 나타내기

그럼 두 번째 작전 시작~.

이봐. 원주민 대장~~.

혹시 이런 금이 있는 곳을 알아?

알고 있지만 알려줄 수 없지.

우린 친구잖아. 살짝 힌트만 좀 줘.

그럼 이 수 배열표에서 규칙을 찾아봐.

100	110	120	130	140
200	210	220	230	240
300	310	320	330	340
400	410	420	430	440

흠……
이 문제도 책에서 본 것 같은데…….

세로줄은 아래쪽으로 100씩 커지는 규칙이 있지.

100	110	120	130	140
200	210	220	230	240
300	310	320	330	340
400	410	420	430	440

규칙: 세로줄은 아래쪽으로 100씩 커집니다.

오~ 역시 대단하군!

자, 그럼 이제 힌트를 줘~.

큰일이다. 역사가 바뀔지도 모르겠어.

핀손 선장을 막아야 해.

1 수 배열표를 보고 물음에 답하세요.

101	102	103	104	105	106
201	202	203	204	★	206
301	302	303	304	305	306
401	402	403	404	405	406
501	502	503	504	505	♥

(1) ☐로 표시된 칸에서 규칙을 찾아보세요.

규칙 201부터 오른쪽으로 ☐씩 커집니다.

(2) 수 배열의 규칙에 따라 ★에 알맞은 수를 구하세요.

( )

(3) 수 배열의 규칙에 따라 ♥에 알맞은 수를 구하세요.

( )

2 도형의 배열을 보고 규칙에 따라 다섯째에 알맞은 도형을 그려 보세요.

첫째　둘째　셋째　넷째　다섯째

개념 체크 **1** ◀ 4학년 1학기 6단원

수의 배열에서 규칙 찾기

11	12	13	14	15
21	22	23	24	25
31	32	33	34	35
41	42	43	44	45

• 가로(→)는 오른쪽으로 1씩 커집니다.
• 세로(↓)는 아래쪽으로 10씩 커집니다.

개념 체크 **2** ◀ 4학년 1학기 6단원

도형의 배열에서 규칙 찾기

첫째　둘째　셋째　넷째

도형의 수가 2개, 3개, 4개, 5개로 1개씩 늘어납니다.

3 덧셈식을 보고 물음에 답하세요.

순서	덧셈식
첫째	$100+200=300$
둘째	$200+200=400$
셋째	$300+200=500$
넷째	$400+200=600$
다섯째	

(1) 어떤 규칙이 있는지 써 보세요.

규칙 100부터 100씩 커지는 수에 [ ]을 더하면

계산 결과는 300부터 [ ]씩 커집니다.

(2) 다섯째 빈칸에 알맞은 덧셈식을 써 보세요.

[ ]$+200=$[ ]

4 수 배열표를 보고 규칙적인 계산식을 찾아 □ 안에 알맞은 수를 써넣으세요.

201	203	205	207	209	211	213
202	204	206	208	210	212	214

$201+204=203+202$

$203+206=205+204$

$205+$[ ]$=207+206$

$207+210=$[ ]$+208$

개념 체크 ③ ◀ 4학년 1학기 6단원

덧셈식에서 규칙 찾기

순서	덧셈식
첫째	$11+20=31$
둘째	$21+20=41$
셋째	$31+20=51$
넷째	$41+20=61$

11부터 10씩 커지는 수에 20을 더하면 계산 결과는 31부터 10씩 커집니다.

개념 체크 ④ ◀ 4학년 1학기 6단원

규칙적인 계산식 찾기

510	520	530	540
410	420	430	440

$510+420=520+410$

$520+430=530+420$

$530+440=540+430$

➡ 여러 가지 규칙적인 계산식을 찾을 수 있습니다.

3

규칙과 대응

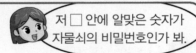

저 □ 안에 알맞은 숫자가 자물쇠의 비밀번호인가 봐.

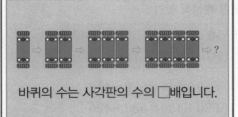

바퀴의 수는 사각판의 수의 □배입니다.

표를 그려 알아보면 바퀴의 수는 사각판의 수의 2배니까 비밀번호는 2야.

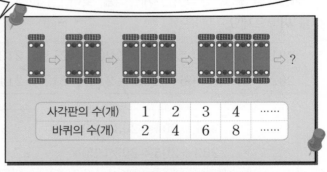

사각판의 수(개)	1	2	3	4	……
바퀴의 수(개)	2	4	6	8	……

앗! 열렸다.

개념 클릭

• 스피드 정답표 6쪽, 정답 27쪽 ◯ 월 ◯ 일

◎ **두 양 사이의 대응 관계**

• 사각판의 수와 바퀴의 수 사이의 대응 관계 알아보기

사각판 1개에 바퀴를 2개씩 조립합니다.

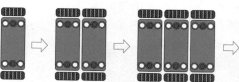

바퀴

사각판

?

사각판의 수가 1개씩 늘어날 때 바퀴의 수는 ❷ 개씩 늘어나요.

사각판의 수(개)	1	2	3	4	……
바퀴의 수(개)	2	4	6	❶	……

⇨ ┌ 사각판의 수는 바퀴의 수의 반과 같습니다.
   └ 바퀴의 수는 사각판의 수의 2배입니다.

○ 정답 ❶ 8 ❷ 2

[1~2] 분홍색 사각판과 파란색 사각판으로 규칙적인 배열을 만들고 있습니다. 물음에 답하세요.

?

1 파란색 사각판이 8개일 때 분홍색 사각판은 몇 개 필요할까요?　　　　　　　(　　　　　　)

2 분홍색 사각판의 수와 파란색 사각판의 수 사이의 대응 관계를 써 보세요.

분홍색 사각판의 수는 파란색 사각판의 수보다 ☐ 개 더 많습니다.

[3~4] 도형의 배열을 보고 물음에 답하세요.

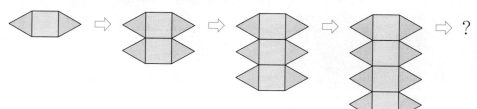

?

사각형의 수와 삼각형의 수는 각각 일정하게 늘어나고 있어요.

3 사각형의 수와 삼각형의 수가 어떻게 변하는지 표를 이용하여 알아보세요.

사각형의 수(개)	1	2	3	4	……
삼각형의 수(개)	2				……

4 사각형의 수와 삼각형의 수 사이의 대응 관계를 써 보세요.

삼각형의 수는 사각형의 수의 ☐ 배입니다.

수호, 너 원주민 말을 할 수 있다며?

흠…… 이때 손을 더 꺾어야 했었나?

이제 우리 어떡해?

걱정 마. 나와 함께 이 곳에서 나가면 되지!

앗! 콜럼버스 아저씨!!

그런데 너희는 누구고, 어디서 왔지? 사실대로 말해봐.

잠깐!

저는 예지, 얘 수호고요. 사실 저희는……

미래에서 왔어요!

쉿! 수호야, 그걸 말하면 어떡해.

그럼 뭐라고 말해요?

역시…… 내 예상이 맞았군.

헉! 진짜 믿는다

미래에서 온 너희가 날 알고 있다면 난 분명 유명해진 거겠군.

저기, 그런데 여기서 어떻게 나가죠?

그래서 내가 감옥에 갇힌 사람의 수와 보초 서는 사람의 수를 표로 정리해 놨지.

엥? 이건 왜요?

자, 이 표를 보고 두 양 사이의 대응 관계를 식으로 나타내보렴.

갇힌 사람의 수를 ○, 보초 서는 사람의 수를 ☆이라고 할 때, 두 양 사이의 대응 관계를 식으로 나타내면 ○×4=☆이죠.

갇힌 사람의 수(명)	1	2	3	4	5	……
보초 서는 사람의 수(명)	4	8	12	16	20	……

갇힌 사람의 수: ○, 보초 서는 사람의 수: ☆

⇨ ○×4=☆

◎ 대응 관계를 식으로 나타내기

• 감옥에 갇힌 사람의 수와 보초 서는 사람의 수 사이의 대응 관계를 알아보기

갇힌 사람의 수(명)	1	2	3	4	5	······
보초 서는 사람의 수(명)	4	8	12	16	❶	······

보초 서는 사람의 수는 $1 \times 4 = 4$, $2 \times 4 = 8$, $3 \times 4 = 12$······에서 갇힌 사람의 수의 4배입니다.

⇨ 감옥에 갇힌 사람의 수를 ○, 보초 서는 사람의 수를 ☆이라고 할 때, 두 양 사이의 대응 관계를 식으로 나타내면 $\bigcirc \times 4 = \,$☆입니다.

두 양 사이의 대응 관계를 식으로 간단하게 나타낼 때는 각 양을 ○, □, △, ☆ 등과 같은 기호로 표현해요.

◑ 정답 ❶ 20

[1~2] 민규가 만든 드론은 1초에 6 m를 비행합니다. 물음에 답하세요.

1 드론이 비행하는 시간과 비행하는 거리 사이의 대응 관계를 표를 이용하여 알아보세요.

드론이 비행하는 시간(초)	1	2	3	4	5	······
드론이 비행하는 거리(m)	6	12				······

2 드론이 비행하는 시간을 ☆(초), 비행하는 거리를 △(m)라고 할 때, 두 양 사이의 대응 관계를 식으로 나타내어 보세요.

$$\triangle = \boxed{} \times \text{☆}$$

[3~4] 그림과 같이 의자 한 개에는 다리가 3개씩입니다. 물음에 답하세요.

3 의자의 수와 의자 다리의 수 사이의 대응 관계를 표를 이용하여 알아보세요.

의자의 수(개)	1	2	3	4	5	6	······
의자 다리의 수(개)	3	6					······

의자의 수가 1개씩 늘어날 때, 의자 다리의 수는 3개씩 늘어나요.

4 의자의 수를 △, 의자 다리의 수를 ○라고 할 때, 두 양 사이의 대응 관계를 식으로 나타내어 보세요.

 _____

3 규칙과 대응

교과서 개념

생활 속에서 대응 관계를 찾아 식으로 어떻게 나타내나요?

재! 모두 모여라!

난 저 산으로 탐험을 가려고 한다.

나와 같이 갈 사람은 앞으로 나와라.

뭐야? 아무도 없어?

나와 같이 갈 사람들에게 이 과자를 1상자씩 주겠다.

흠… 10명은 좀 많은데……. 일단 5명씩 2팀으로 나누고~.

자, 이 과자의 수와 과자 상자의 수 사이의 대응 관계를 맞히는 팀이 나와 함께 간다.

제가 맞혀보죠.

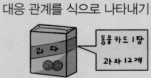

과자 1상자에는 과자 12개가 들어 있으므로 과자의 수는 과자 상자의 수의 12배이죠.

- 과자의 수와 과자 상자의 수 사이의 대응 관계를 식으로 나타내기

동물카드 1장

과자 12개

⇨ (과자의 수) = (과자 상자의 수) × 12

정답! 그럼 답을 맞힌 팀 5명과 함께 탐험 출발!

그런데 아저씨는 뭐 하시는 거지?

설마 땅굴을 파서 탈출하려는 건가?

◎ 생활 속에서 대응 관계를 찾아 식으로 나타내기

• 과자의 수와 과자 상자의 수 사이의 대응 관계를 식으로 나타내기

 동물 카드 1장
과자 12개

 과자 1상자에
과자 12개가
들어 있어요.

⇨ ┌ (과자의 수)=(과자 상자의 수)×12
   └ (과자 상자의 수)=(과자의 수)÷ **❶** ☐

○ 정답 **❶** 12

[1~2] 의자의 수와 팔걸이의 수 사이의 대응 관계를 알아보려고 합니다. 물음에 답하세요.

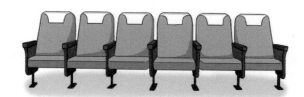

 의자가 1개씩 늘어나면
팔걸이는 몇 개씩
늘어나는지 알아봐요.

1 의자의 수와 팔걸이의 수 사이의 대응 관계를 표를 이용하여 알아보세요.

의자의 수(개)	1	2	3	4	5	……
팔걸이의 수(개)	2					……

2 의자의 수를 △, 팔걸이의 수를 □라고 할 때, 두 양 사이의 대응 관계를 식으로 나타내어 보세요.

 _____

3 연도와 서준이의 나이 사이의 대응 관계를 표를 이용하여 찾고 식으로 나타내어 보세요.

연도(년)	2017	2018	2019	2020	2021	2022	……
서준이의 나이(살)	11	12	13				……

식 _____

3

규칙과 대응

두 양 사이의 대응 관계

[01~03] 도형의 배열을 보고 물음에 답하세요.

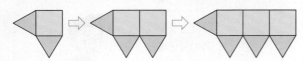

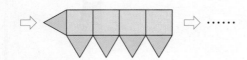

01 삼각형의 수와 사각형의 수 사이의 관계를 생각하며 □ 안에 알맞은 수를 써넣으세요.

사각형이 5개일 때 필요한 삼각형의 수는 □개입니다.

02 사각형이 20개일 때 삼각형은 몇 개 필요할까요?
( )

03 삼각형의 수와 사각형의 수 사이의 대응 관계를 써 보세요.

사각형의 수에 □을 더하면 삼각형의 수와 같습니다.

[04~05] 트럭 1대에는 바퀴가 6개 있습니다. 물음에 답하세요.

04 트럭의 수와 바퀴의 수가 어떻게 변하는지 표를 이용하여 알아보세요.

트럭의 수(대)	1	2	3	4	……
바퀴의 수(개)					……

05 트럭의 수와 바퀴의 수 사이의 대응 관계를 써 보세요.

_____

_____

대응 관계를 식으로 나타내기

[06~07] 아이스크림 1개의 가격은 800원입니다. 물음에 답하세요.

06 팔린 아이스크림의 수와 판매 금액 사이의 대응 관계를 표를 이용하여 알아보세요.

팔린 아이스크림의 수(개)	1	2	3	4	……
판매 금액(원)	800	1600			……

07 팔린 아이스크림의 수를 ○(개), 판매 금액을 ◇(원)이라고 할 때, 두 양 사이의 대응 관계를 식으로 나타내어 보세요.

 _____

[08~09] 은주네 반은 한 모둠에 4명씩 앉아 있습니다. 물음에 답하세요.

08 모둠의 수와 학생의 수 사이의 대응 관계를 표를 이용하여 알아보세요.

모둠의 수(모둠)	1	2	3	4	……
학생의 수(명)					……

09 모둠의 수를 ◎(모둠), 학생의 수를 △(명)이라고 할 때, 두 양 사이의 대응 관계를 식으로 나타내어 보세요.

식 _____

생활 속에서 대응 관계를 찾아 식으로 나타내기

[10~11] 음료 한 개에는 설탕이 35 g 들어 있습니다. 물음에 답하세요.

설탕 35 g

10 음료의 수와 설탕의 양 사이의 대응 관계를 표를 이용하여 알아보세요.

음료의 수(개)	1	2	3	4	……
설탕의 양(g)					……

11 음료의 수를 ◎(개), 설탕의 양을 □(g)이라고 할 때, 두 양 사이의 대응 관계를 식으로 나타내어 보세요.

식 _____

[12~14] 미술 시간에 그린 그림을 게시판에 전시하기 위해 도화지에 압정을 꽂아서 벽에 붙이고 있습니다. 물음에 답하세요.

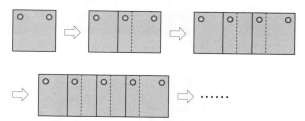

12 도화지의 수와 압정의 수 사이의 대응 관계를 표를 이용하여 알아보세요.

도화지의 수(장)	1	2	3	4	……
압정의 수(개)	2				……

13 도화지의 수와 압정의 수 사이의 대응 관계를 써 보세요.

_____

_____

14 도화지의 수를 △, 압정의 수를 □라고 할 때, 두 양 사이의 대응 관계를 식으로 나타내어 보세요.

식 _____

3

규칙과 대응

익힘책 익히기

[01~03] 도형의 배열을 보고 물음에 답하세요.

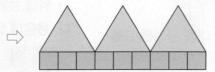

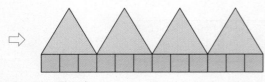

삼각형 1개에 사각형은 3개씩 필요해요.

01 삼각형의 수와 사각형의 수 사이의 관계를 생각하며 ☐ 안에 알맞은 수를 써넣으세요.

> • 삼각형이 10개일 때 필요한 사각형의 수는 ☐ 개입니다.
>
> • 삼각형이 30개일 때 필요한 사각형의 수는 ☐ 개입니다.

02 사각형이 60개일 때 삼각형은 몇 개 필요할까요?

(   )

03 삼각형의 수와 사각형의 수 사이의 대응 관계를 써 보세요.

_____

• 삼각형의 수와 사각형의 수가 어떻게 변하는지 생각해 봅니다.

[04~06] 사각판과 삼각판으로 규칙적인 배열을 만들고 있습니다. 물음에 답 하세요.

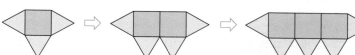

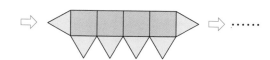

04 모양에서 변하는 부분과 변하지 <u>않는</u> 부분을 생각하며, 사각판과 삼각판의 수가 어떻게 변하는지 표를 이용하여 알아보세요.

사각판의 수(개)	1	2	3	4	5	......
삼각판의 수(개)	3					......

사각판이 1개씩 늘어나면 삼각판도 1개씩 늘어나요.

05 사각판이 12개일 때 삼각판은 몇 개 필요할까요?

(   )

06 사각판의 수와 삼각판의 수 사이의 대응 관계를 써 보세요.

_____

• 삼각판은 사각판 양옆에 2개가 항상 있습니다.

3

규칙과 대응

[07~09] 형과 동생이 저금을 하려고 합니다. 형은 가지고 있던 500원을 먼저 저금통에 넣었고, 두 사람은 다음 주부터 1주일에 500원씩 저금을 하기로 했습니다. 물음에 답하세요.

Tip

07 형이 모은 돈과 동생이 모은 돈 사이의 대응 관계를 표를 이용하여 알아보세요.

	형이 모은 돈(원)	동생이 모은 돈(원)
저금을 시작했을 때	500	0
1주일 후	1000	500
2주일 후		
3주일 후		
4주일 후		
⋮	⋮	⋮

· 1주일이 지날 때마다 형이 모은 돈과 동생이 모은 돈은 각각 500원씩 많아집니다.

08 알맞은 카드를 골라 표를 통해 알 수 있는 두 양 사이의 대응 관계를 식으로 나타내어 보세요.

형이 모은 돈	동생이 모은 돈

+	−	×	÷	=

500	1000	1500

형이 모은 돈은 동생이 모은 돈보다 500원 더 많아요.

09 형이 모은 돈과 동생이 모은 돈 사이의 대응 관계를 기호를 사용하여 식으로 나타내어 보세요.

형이 모은 돈을 ☆, 동생이 모은 돈을 ◎라고 할 때, 두 양 사이의 대응 관계를 식으로 나타내면 [   ]입니다.

[10~11] 그림을 보고 대응 관계를 찾아 식으로 나타내어 보세요.

10 그림에서 대응 관계를 찾아보세요.

서로 관계가 있는 두 양		대응 관계
①	☐의 수 / 책꽂이 칸의 수	책꽂이 칸의 수에 ☐배 한 만큼 책이 있습니다.
②	☐의 수 / 탁자의 수	의자의 수를 ☐으로 나눈 만큼 탁자의 수가 있습니다.

11 10에서 찾은 대응 관계를 식으로 나타내어 보세요.

① ☐을/를 ♡, 책꽂이 칸의 수를 △라고 하면 대응 관계는 ☐입니다.

② ☐을/를 ○, 탁자의 수를 ☆이라고 하면 대응 관계는 ☐입니다.

Tip

 책꽂이 한 칸에 책이 10권씩 있어요.

 탁자 1개에 의자가 3개씩 있어요.

3

규칙과 대응

· 대응 관계에 있는 두 양을 나타낼 수 있는 기호를 정하여 대응 관계를 식으로 나타내어 봅니다.

[01~03] 도형의 배열을 보고 물음에 답하세요.

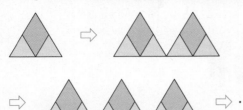

01 삼각형의 수와 마름모의 수 사이의 관계를 생각하며 □ 안에 알맞은 수를 써넣으세요.

> 마름모가 4개일 때 필요한 삼각형의 수는
>
> ☐ 개입니다.

02 삼각형이 10개일 때 마름모는 몇 개 필요할까요?

(   )

03 삼각형의 수와 마름모의 수 사이의 대응 관계를 써 보세요.

> 마름모의 수를 ☐ 배 하면 삼각형의 수와
>
> 같습니다.

[04~06] 탁자의 수와 의자의 수 사이에는 어떤 대응 관계가 있는지 알아보세요.

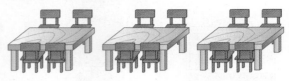

04 탁자의 수와 의자의 수는 어떻게 변하는지 표를 이용하여 알아보세요.

탁자의 수(개)	1	2	3	4	……
의자의 수(개)	4	8			……

05 탁자의 수와 의자의 수 사이의 대응 관계를 써 보세요.

> 의자의 수는 탁자의 수의 ☐ 배입니다.

06 탁자 7개에는 의자를 몇 개 놓아야 할까요?

(   )

07 표를 보고 ○와 ☆ 사이의 대응 관계를 써 보세요.

○	8	9	10	11	12
☆	40	45	50	55	60

[08~11] 필통 한 개에 연필이 5자루씩 들어 있습니다. 물음에 답하세요.

08 필통의 수와 연필의 수 사이의 대응 관계를 표를 이용하여 알아보세요.

필통의 수(개)	1	2	3	4	......
연필의 수(자루)	5				......

09 필통의 수를 ◇, 연필의 수를 ⊙라고 할 때, 두 양 사이의 대응 관계를 식으로 나타내어 보세요.

식 _____

10 필통 7개에는 연필이 몇 자루 들어 있을까요?

( )

11 연필이 45자루 있다면 필통은 몇 개일까요?

( )

[12~14] 올해 누나의 나이는 11살이고 동생의 나이는 7살입니다. 누나의 나이와 동생의 나이 사이의 대응 관계를 알아보세요.

누나의 나이(살)	11	12	13	14	15	......
동생의 나이(살)	7	8				......

12 동생이 11살이면 누나는 몇 살일까요?

( )

13 누나의 나이를 ◇, 동생의 나이를 △라고 할 때, 두 양 사이의 대응 관계를 식으로 나타내어 보세요.

식 _____

14 누나가 20살이 되면 동생은 몇 살일까요?

( )

3

규칙과 대응

[15~17] 배열 순서에 따른 모양의 변화를 보고 물음에 답하세요.

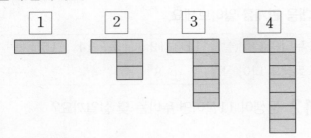

15 배열 순서에 따라 사각형 조각의 수가 어떻게 변하는지 표를 이용하여 알아보세요.

배열 순서	1	2	3	4	5	……
사각형 조각의 수(개)	2	4				……

16 배열 순서를 △, 사각형 조각의 수를 □라고 할 때, 두 양 사이의 대응 관계를 식으로 나타내어 보세요.

식 _____

17 사각형 조각이 20개라면 배열 순서는 몇째일까요?

(   )

[18~20] 혜빈이는 친구들과 자석을 이용하여 칠판에 미술 작품을 붙였습니다. 물음에 답하세요.

18 칠판에 미술 작품을 붙이기 위해 사용한 자석의 수와 미술 작품의 수 사이의 대응 관계를 표를 이용하여 알아보세요.

자석의 수 (개)	10		9	17	12	……
미술 작품의 수(개)	9	5	8		11	……

19 자석의 수를 ◎, 미술 작품의 수를 △라고 할 때, 두 양 사이의 대응 관계를 식으로 나타내어 보세요.

식 _____

20 미술 작품을 20개 붙이려면 자석은 몇 개 필요할까요?

(   )

스스로 학습장

스스로 학습장은 이 단원에서 배운 것을 확인하는 코너입니다.
몰랐던 것은 꼭 다시 공부해서 내 것으로 만들어 보아요.

• 스피드 정답표 7쪽, 정답 29쪽 •

✳ 예지와 수호의 활동을 보고 규칙과 대응을 정리해 보세요.

1 예지가 만든 대응 관계를 표를 이용하여 알아보세요.

수호가 말한 수	10	7	20	9	12	……
예지가 답한 수	5	2	15			……

2 예지가 만든 대응 관계를 기호를 사용하여 식으로 나타내어 보세요.

수호가 말한 수를 △, 예지가 답한 수를 □라고 할 때, 두 양 사이의 대응 관계를

식으로 나타내면 [   ]입니다.

3 위 **2**의 예지가 만든 대응 관계를 나타낸 식에 대한 수호의 생각입니다. 수호의 생각이 옳은 이유를
써 보세요.

내가 말한 수와
예지가 답한 수 사이의
관계는 항상 일정해.

이유

3

규칙과 대응

3. 규칙과 대응 • **95**

QR 코드를 찍으면
4단원 개념 동영상
강의를 볼 수 있어요.

이번에 배울 내용

- 크기가 같은 분수 알아보기
- 크기가 같은 분수 만들기
- 약분과 기약분수 알아보기
- 통분 알아보기
- 분수의 크기 비교
- 분수와 소수의 크기 비교

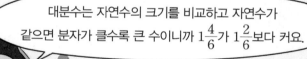

대분수는 자연수의 크기를 비교하고 자연수가 같으면 분자가 클수록 큰 수이니까 $1\frac{4}{6}$가 $1\frac{2}{6}$보다 커요.

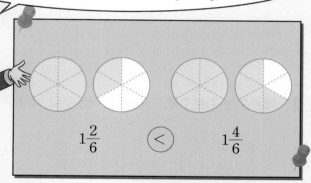

$$1\frac{2}{6} \quad < \quad 1\frac{4}{6}$$

준비 학습

1 그림을 보고 □ 안에 알맞은 수를 써넣으세요.

12의 $\frac{3}{4}$ 은 □ 입니다.

2 □ 안에 알맞은 수를 써넣으세요.

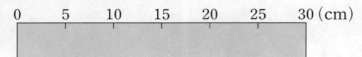

30 cm의 $\frac{1}{6}$ 은 □ cm입니다.

30 cm의 $\frac{4}{6}$ 는 □ cm입니다.

3 대분수는 가분수로, 가분수는 대분수로 나타내어 보세요.

(1) $\frac{8}{5} = \dfrac{\boxed{}}{5}$

(2) $1\frac{3}{7} = \dfrac{\boxed{}}{7}$

(3) $2\frac{3}{8} = \dfrac{\boxed{}}{8}$

(4) $\frac{21}{9} = \boxed{}\dfrac{\boxed{}}{9}$

개념 체크 ❶ ◀ 3학년 2학기 4단원

분수만큼은 얼마인지 알아보기

6의 $\frac{1}{3}$ 은 2입니다.

개념 체크 ❷ ◀ 3학년 2학기 4단원

길이에서 분수만큼은 얼마인지 알아보기

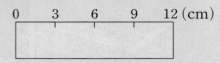

12 cm의 $\frac{2}{4}$ 는 6 cm입니다.

개념 체크 ❸ ◀ 3학년 2학기 4단원

대분수를 가분수로, 가분수를 대분수로 나타내기

• $1\frac{1}{4}$ 을 가분수로 나타내기

$1\frac{1}{4}$ ⟨ $1 = \frac{4}{4}$, $\frac{1}{4}$ ⟩ ⇒ $\frac{5}{4}$

• $\frac{7}{4}$ 을 대분수로 나타내기

$\frac{7}{4}$ ⟨ $\frac{4}{4} = 1$, $\frac{3}{4}$ ⟩ ⇒ $1\frac{3}{4}$

4 그림을 보고 분수의 크기를 비교하여 ○ 안에 >, =, <를 알맞게 써넣으세요.

(1)

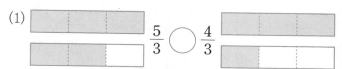

$\dfrac{5}{3}$ ○ $\dfrac{4}{3}$

(2)

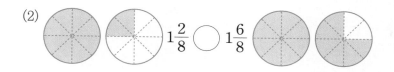

$1\dfrac{2}{8}$ ○ $1\dfrac{6}{8}$

• 스피드 정답표 7쪽, 정답 30쪽

○ 월 ○ 일

4

약분과 통분

개념 체크 4 ◀ 3학년 2학기 4단원

분수의 크기 비교

• 가분수의 크기 비교
분자가 클수록 큰 수입니다.

$\dfrac{5}{4}$ < $\dfrac{9}{4}$

• 대분수의 크기 비교
자연수의 크기를 비교하고 자연수가 같으면 분자가 클수록 큰 수입니다.

$1\dfrac{4}{7}$ > $1\dfrac{2}{7}$

---

5 5와 15의 공배수와 최소공배수를 구하세요. (단, 공배수는 작은 수부터 3개만 구합니다.)

> 5의 배수: 5, 10, 15, 20, 25, 30, 35, 40, 45……
> 15의 배수: 15, 30, 45, 60, 75……

공배수 (   )

최소공배수 (   )

개념 체크 5 ◀ 5학년 1학기 2단원

공배수와 최소공배수

• 공배수: 두 수의 공통된 배수
• 최소공배수: 두 수의 공배수 중에서 가장 작은 수

> 8의 배수: 8, 16, ㉔, 32, 40, ㊽……
> 12의 배수: 12, ㉔, 36, ㊽, 60……

8과 12의 공배수: 24, 48, 72……
8과 12의 최소공배수: 24

---

6 두 수의 최대공약수와 최소공배수를 구하세요.

> 40, 16

최대공약수 (   )

최소공배수 (   )

개념 체크 6 ◀ 5학년 1학기 2단원

최대공약수와 최소공배수 구하기

```
2) 12  30
3)  6  15
    2   5
```

최대공약수: $2 \times 3 = 6$
최소공배수: $2 \times 3 \times 2 \times 5 = 60$

으악! 이게 뭐야?

악! 똥 냄새가 …….

콜럼버스! 정신 차리게!

위급할 때 쓰라고 준 걸 지금 쓰면 어떡하나~.

앗! 나의 실수~.

근데 난 좀 어지럽군.

그건 똥폭탄의 후유증이라네~.

자, 괜찮은지 이걸 풀어보게.

이 분수들의 크기를 비교해봐~.

$\dfrac{1}{5}$ $\dfrac{2}{10}$ $\dfrac{3}{15}$

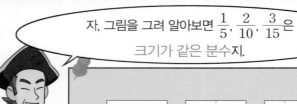

자, 그림을 그려 알아보면 $\dfrac{1}{5}$, $\dfrac{2}{10}$, $\dfrac{3}{15}$ 은 크기가 같은 분수지.

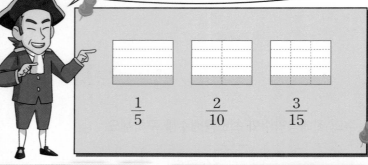

$\dfrac{1}{5}$ $\dfrac{2}{10}$ $\dfrac{3}{15}$

어때, 맞지?

응. 다행히 자네는 괜찮은 것 같아.

자! 그럼 다시 출발해 볼까?

앗! 이런 다들 쓰러져있구나.

• 스피드 정답표 7쪽, 정답 30쪽 월 일

◎ 크기가 같은 분수 알아보기

 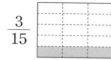 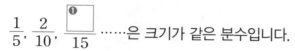

$\frac{1}{5}$, $\frac{2}{10}$, $\frac{\text{❶}}{15}$ ……은 크기가 같은 분수입니다.

나눠진 칸 수는 달라도 색칠한 부분은 모두 같아요.

4 약분과 통분

→ 정답 ❶ 3

1 $\frac{1}{4}$, $\frac{2}{8}$, $\frac{3}{12}$ 의 크기를 비교해 보려고 합니다. 물음에 답하세요.

(1) 분수만큼 왼쪽부터 색칠해 보세요.

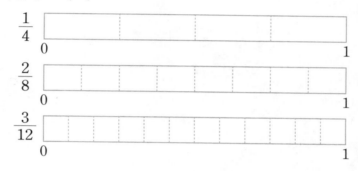

(2) $\frac{1}{4}$, $\frac{2}{8}$, $\frac{3}{12}$ 의 크기를 비교하여 알맞은 말에 ○표 하세요.

$\frac{1}{4}$, $\frac{2}{8}$, $\frac{3}{12}$ 은 크기가 모두 (같습니다 , 다릅니다).

2 분수만큼 수직선에 나타내고 크기가 같은 분수를 써 보세요.

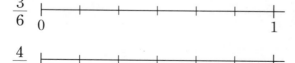

크기가 같은 분수는 ☐ 와/과 ☐ 입니다.

수직선에 분수만큼 나타내면 $\frac{2}{4}$와 $\frac{1}{2}$은 크기가 같은 분수예요

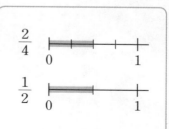

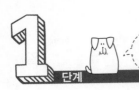

이제 다들 괜찮지?

네~

그럼 가자!

30분 후

에휴, 힘들다, 조금만 쉬었다 가자!

벌써요?

너무 힘들어서 못 걷겠어.

그래, 우리도 잠깐 쉬자.

예지야, 근데 아까 콜럼버스 아저씨가 말한 크기가 같은 분수에 대해 넌 알아?

응! 난 크기가 같은 분수를 만들 수도 있어.

정말?

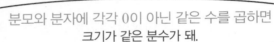

분모와 분자에 각각 0이 아닌 같은 수를 곱하면 크기가 같은 분수가 돼.

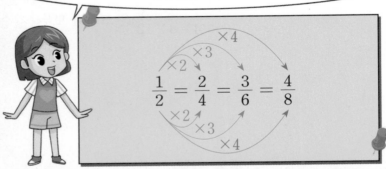

$$\frac{1}{2} = \frac{2}{4} = \frac{3}{6} = \frac{4}{8}$$

아~ 그렇구나.

얘들아, 쉿!!

저기 핀슨 선장이야!

다행히 우리가 핀슨 일행을 잘 뒤쫓아 왔나 봐.

◎ 크기가 같은 분수 만들기

• 분모와 분자에 각각 0이 아닌 같은 수를 곱하면 크기가 같은 분수가 됩니다.
• 분모와 분자를 각각 0이 아닌 같은 수로 나누면 크기가 같은 분수가 됩니다.

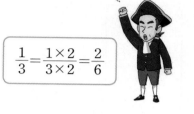

$\dfrac{1}{3}$의 분모와 분자에 각각 2를 곱하여 크기가 같은 분수를 만들었어요.

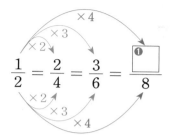

$$\dfrac{1}{3} = \dfrac{1 \times 2}{3 \times 2} = \dfrac{2}{6}$$

➡ 정답 ❶ 4 ❷ 1

[1~2] 그림을 보고 크기가 같은 분수가 되도록 □ 안에 알맞은 수를 써넣으세요.

1

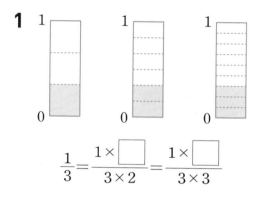

$$\dfrac{1}{3} = \dfrac{1 \times \boxed{}}{3 \times 2} = \dfrac{1 \times \boxed{}}{3 \times 3}$$

2

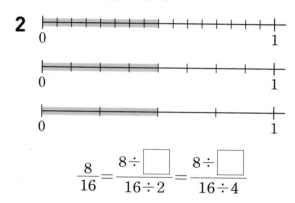

$$\dfrac{8}{16} = \dfrac{8 \div \boxed{}}{16 \div 2} = \dfrac{8 \div \boxed{}}{16 \div 4}$$

[3~6] □ 안에 알맞은 수를 써넣으세요.

3 $\dfrac{5}{6} = \dfrac{5 \times \boxed{}}{6 \times 3} = \dfrac{\boxed{}}{18}$

크기가 같은 분수를 만들려면?

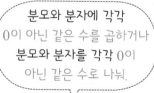

분모와 분자에 각각 0이 아닌 같은 수를 곱하거나 분모와 분자를 각각 0이 아닌 같은 수로 나눠.

4 $\dfrac{28}{35} = \dfrac{28 \div \boxed{}}{35 \div 7} = \dfrac{\boxed{}}{5}$

5 $\dfrac{4}{9} = \dfrac{\boxed{}}{18}$

6 $\dfrac{14}{28} = \dfrac{2}{\boxed{}}$

2 단계

크기가 같은 분수 알아보기

[01~03] 분수만큼 아래부터 색칠하고 알맞은 말에 ◯표 하세요.

01

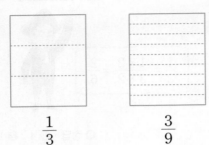

$\dfrac{1}{3}$ $\dfrac{3}{9}$

$\dfrac{1}{3}$과 $\dfrac{3}{9}$은 크기가 (같은, 다른) 분수입니다.

02

$\dfrac{4}{6}$ $\dfrac{6}{12}$

$\dfrac{4}{6}$와 $\dfrac{6}{12}$은 크기가 (같은, 다른) 분수입니다.

03

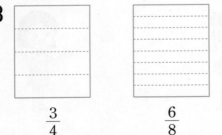

$\dfrac{3}{4}$ $\dfrac{6}{8}$

$\dfrac{3}{4}$과 $\dfrac{6}{8}$은 크기가 (같은, 다른) 분수입니다.

[04~06] 분수만큼 수직선에 나타내고 크기가 같은 분수를 써 보세요.

04 $\dfrac{4}{8}$

$\dfrac{2}{4}$

$\dfrac{9}{12}$

크기가 같은 분수는 ☐ 와/과 ☐

입니다.

05 $\dfrac{3}{6}$

$\dfrac{5}{12}$

$\dfrac{6}{12}$

크기가 같은 분수는 ☐ 와/과 ☐

입니다.

06 $\dfrac{6}{10}$

$\dfrac{3}{5}$

$\dfrac{4}{5}$

크기가 같은 분수는 ☐ 와/과 ☐

입니다.

크기가 같은 분수 만들기

[07~08] 그림을 보고 크기가 같은 분수가 되도록 □ 안에 알맞은 수를 써넣으세요.

07
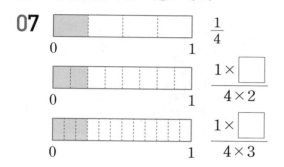

$$\frac{1}{4}$$

$$\frac{1 \times \boxed{}}{4 \times 2}$$

$$\frac{1 \times \boxed{}}{4 \times 3}$$

08
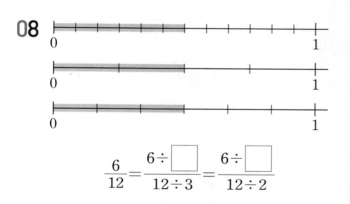

$$\frac{6}{12} = \frac{6 \div \boxed{}}{12 \div 3} = \frac{6 \div \boxed{}}{12 \div 2}$$

[09~12] □ 안에 알맞은 수를 써넣으세요.

09 $\dfrac{3}{7} = \dfrac{3 \times 3}{7 \times \boxed{}} = \dfrac{9}{\boxed{}}$

10 $\dfrac{9}{18} = \dfrac{9 \div \boxed{}}{18 \div 9} = \dfrac{\boxed{}}{2}$

11 $\dfrac{4}{5} = \dfrac{4 \times \boxed{}}{5 \times 6} = \dfrac{\boxed{}}{30}$

12 $\dfrac{16}{48} = \dfrac{16 \div \boxed{}}{48 \div 4} = \dfrac{\boxed{}}{12}$

[13~16] □ 안에 알맞은 수를 써넣어 크기가 같은 분수를 만들어 보세요.

13 $\dfrac{2}{5} = \dfrac{4}{\boxed{}} = \dfrac{6}{\boxed{}}$

14 $\dfrac{4}{7} = \dfrac{12}{\boxed{}} = \dfrac{\boxed{}}{35}$

15 $\dfrac{18}{54} = \dfrac{\boxed{}}{9} = \dfrac{\boxed{}}{6}$

16 $\dfrac{12}{36} = \dfrac{3}{\boxed{}} = \dfrac{2}{\boxed{}}$

1 단계 교과서 개념   분수를 어떻게 간단하게 나타내나요?

책에 이 다리를 건너려면 문제를 풀어야 한다고 적혀 있었는데……

아! 여기에 문제가 적혀 있군.

다리를 그냥 건너면 되는 거 아니에요?

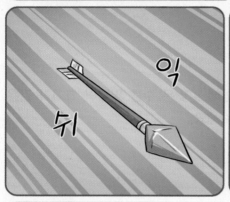

쉬 익

뜨악!

너 때문에 죽을 뻔 했잖아! 맘대로 행동하지 말란 말이야!!

일단 여기 적힌 문제를 풀어야 해.

흠~ $\frac{4}{12}$를 약분하라고? 난 모르겠는데~.

무슨 문제길래요?

아~ 이건 쉬운 문제인데~.

분모와 분자를 공약수로 나누어 간단히 하는 것을 약분이라 하고 $\frac{4}{12}$는 2 또는 4로 나누어 약분할 수 있죠.

$$\frac{\overset{2}{\cancel{4}}}{\underset{6}{\cancel{12}}} = \frac{2}{6} \qquad \frac{\overset{1}{\cancel{4}}}{\underset{3}{\cancel{12}}} = \frac{1}{3}$$

⇨ 4와 12의 공약수는 1, 2, 4이므로 $\frac{4}{12}$를 2 또는 4로 약분할 수 있습니다.

선장님, 어서 건너오세요~

다들 언제 건너갔어?

◎ 약분과 기약분수 알아보기

• 약분 : 분모와 분자를 공약수로 나누어 간단히 하는 것

$$\frac{4}{12} = \frac{4 \div 2}{12 \div 2} = \frac{2}{6} \qquad \frac{4}{12} = \frac{4 \div 4}{12 \div 4} = \frac{1}{3}$$

$$\frac{\overset{2}{\cancel{4}}}{\underset{6}{\cancel{12}}} = \frac{2}{6} \qquad \frac{\overset{1}{\cancel{4}}}{\underset{3}{\cancel{12}}} = \frac{1}{❶}$$

분모와 분자를 1 외에 다른 공약수로 나누어 약분할 수 있어요.

• 기약분수 : 분모와 분자의 공약수가 1뿐인 분수

$$\frac{\overset{3}{\cancel{6}}}{\underset{9}{\cancel{18}}} = \frac{\overset{1}{\cancel{3}}}{\underset{3}{\cancel{9}}} = \frac{1}{❷}$$

→ 기약분수

● 정답 ❶ 3 ❷ 3

4 약분과 통분

---

1 $\frac{32}{40}$와 크기가 같고 분모가 40보다 작은 분수를 만들어 보려고 합니다. 물음에 답하세요.

(1) 32와 40의 공약수를 모두 구하세요.   (   )

(2) 분모와 분자를 32와 40의 공약수로 각각 나누어 보세요. ⟶ 분수를 약분해 보세요.

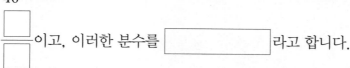

$$\frac{32 \div \square}{40 \div 2} = \frac{\square}{\square}, \quad \frac{32 \div \square}{40 \div 4} = \frac{\square}{\square}, \quad \frac{32 \div \square}{40 \div 8} = \frac{\square}{\square}$$

(3) □ 안에 알맞은 수나 말을 써넣으세요.

$\frac{32}{40}$를 약분한 분수 중에서 분모와 분자의 공약수가 1뿐인 분수는

$\dfrac{\square}{\square}$이고, 이러한 분수를 $\boxed{}$라고 합니다.

[2~3] 분수를 약분해 보세요.

2 $\dfrac{6}{8} = \dfrac{6 \div 2}{8 \div \square} = \dfrac{\square}{\square}$

3 $\dfrac{6}{12} = \dfrac{6 \div \square}{12 \div 3} = \dfrac{\square}{\square}$

[4~5] 기약분수로 나타내어 보세요.

4 $\dfrac{8}{32} = \dfrac{\square}{\square}$

5 $\dfrac{10}{42} = \dfrac{\square}{\square}$

분모와 분자의 최대공약수로 나누면 한 번만 약분하여 기약분수로 나타낼 수 있어요.

흠…….

왜 그러세요?

방금 핀손은 약분 문제를 풀었던 것 같은데…….

이 문제는 뭘까?

아, 이건 $\frac{5}{6}$와 $\frac{4}{9}$를 통분하는 문제네요.

분수의 분모를 같게 하는 것을 통분한다고 하고, 통분한 분모를 공통분모라고 해요. $\frac{5}{6}$와 $\frac{4}{9}$를 이렇게 통분해요.

- $\frac{5}{6}$와 $\frac{4}{9}$를 6과 9의 최소공배수인 18을 공통분모로 하여 통분하기

$$\left(\frac{5}{6},\ \frac{4}{9}\right) \Rightarrow \left(\frac{5\times3}{6\times3},\ \frac{4\times2}{9\times2}\right)$$

$$\Rightarrow \left(\frac{15}{18},\ \frac{8}{18}\right)$$

와~ 예지, 너 수학 천재구나!

그 정도는 아닌데…….

역시 내 생각이 맞았어!

왠지 미래 사람들은 모두 수학을 잘 할 거라 생각했거든~.

어때? 내 생각이 맞지?

오~ 노우~.

모두가 잘하는 건 아니에요.

왜 날 봐!!

찔리긴 하나보네!

◎ 통분 알아보기

• 통분: 분수의 분모를 같게 하는 것

• 공통분모: 통분한 분모

• $\dfrac{5}{6}$와 $\dfrac{4}{9}$를 통분하기

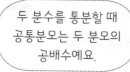

$$\left(\dfrac{5}{6},\ \dfrac{4}{9}\right) \Rightarrow \left(\dfrac{5\times3}{6\times3},\ \dfrac{4\times2}{9\times2}\right) \Rightarrow \left(\dfrac{15}{\boxed{18}},\ \dfrac{\boxed{}^{❶}}{\boxed{18}}\right)$$

공통분모

두 분수를 통분할 때 공통분모는 두 분모의 공배수예요.

◎ 정답 ❶ 8

4

약분과 통분

---

1 $\dfrac{1}{6}$과 $\dfrac{3}{8}$을 통분하려고 합니다. 물음에 답하세요.

(1) $\dfrac{1}{6}$, $\dfrac{3}{8}$과 크기가 같은 분수를 분모가 작은 것부터 차례로 써 보세요.

$$\dfrac{1}{6}=\dfrac{2}{12}=\dfrac{\boxed{}}{18}=\dfrac{\boxed{}}{24}=\dfrac{\boxed{}}{30}=\dfrac{\boxed{}}{36}=\dfrac{\boxed{}}{42}=\dfrac{\boxed{}}{48}=\cdots\cdots$$

$$\dfrac{3}{8}=\dfrac{6}{16}=\dfrac{\boxed{}}{24}=\dfrac{\boxed{}}{32}=\dfrac{\boxed{}}{40}=\dfrac{\boxed{}}{48}=\cdots\cdots$$

분모와 분자에 각각 0이 아닌 같은 수를 곱하면 크기가 같은 분수가 돼요.

(2) 위 (1)에서 분모가 같은 분수끼리 짝 지어 보세요.

$$\left(\dfrac{1}{6},\ \dfrac{3}{8}\right) \Rightarrow \left(\dfrac{\boxed{}}{24},\ \dfrac{\boxed{}}{\boxed{}}\right),\ \left(\dfrac{\boxed{}}{48},\ \dfrac{\boxed{}}{\boxed{}}\right)$$

[2~3] $\dfrac{1}{8}$과 $\dfrac{5}{12}$를 두 가지 방법으로 통분해 보세요.

2 두 분모의 곱을 공통분모로 하여 $\dfrac{1}{8}$과 $\dfrac{5}{12}$를 통분해 보세요.

$$\left(\dfrac{1}{8},\ \dfrac{5}{12}\right) \Rightarrow \left(\dfrac{1\times\boxed{}}{8\times12},\ \dfrac{5\times\boxed{}}{12\times8}\right) \Rightarrow \left(\dfrac{\boxed{}}{96},\ \dfrac{\boxed{}}{\boxed{}}\right)$$

두 가지 방법 모두 두 분수를 통분할 수 있어요.

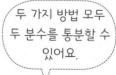

3 두 분모의 최소공배수를 공통분모로 하여 $\dfrac{1}{8}$과 $\dfrac{5}{12}$를 통분해 보세요.

$$\left(\dfrac{1}{8},\ \dfrac{5}{12}\right) \Rightarrow \left(\dfrac{1\times\boxed{}}{8\times\boxed{}},\ \dfrac{5\times\boxed{}}{12\times\boxed{}}\right) \Rightarrow \left(\dfrac{\boxed{}}{\boxed{}},\ \dfrac{\boxed{}}{\boxed{}}\right)$$

약분과 기약분수 알아보기

[01~05] 분수를 약분해 보세요.

01 $\dfrac{9}{18}=\dfrac{9\div\boxed{}}{18\div 3}=\dfrac{\boxed{}}{\boxed{}}$

02 $\dfrac{8}{24}=\dfrac{8\div 8}{24\div\boxed{}}=\dfrac{\boxed{}}{\boxed{}}$

03 $\dfrac{15}{40}=\dfrac{15\div\boxed{}}{40\div 5}=\dfrac{\boxed{}}{\boxed{}}$

04 $\dfrac{24}{36}=\dfrac{24\div 6}{36\div\boxed{}}=\dfrac{\boxed{}}{\boxed{}}$

05 $\dfrac{40}{60}=\dfrac{40\div\boxed{}}{60\div 10}=\dfrac{\boxed{}}{\boxed{}}$

[06~10] 기약분수로 나타내어 보세요.

06 $\boxed{\dfrac{6}{24}}$ ⇨ (   )

07 $\boxed{\dfrac{12}{30}}$ ⇨ (   )

08 $\boxed{\dfrac{27}{54}}$ ⇨ (   )

09 $\boxed{\dfrac{21}{49}}$ ⇨ (   )

10 $\boxed{\dfrac{24}{80}}$ ⇨ (   )

통분 알아보기

[11~15] 두 분모의 곱을 공통분모로 하여 통분해 보세요.

11 $\left(\dfrac{2}{5}, \dfrac{2}{3}\right) \Rightarrow \left(\dfrac{\square}{15}, \dfrac{\square}{15}\right)$

12 $\left(\dfrac{5}{6}, \dfrac{2}{7}\right) \Rightarrow \left(\dfrac{\square}{42}, \dfrac{\square}{42}\right)$

13 $\left(\dfrac{3}{8}, \dfrac{4}{9}\right) \Rightarrow \left(\dfrac{\square}{72}, \dfrac{\square}{72}\right)$

14 $\left(\dfrac{5}{12}, \dfrac{1}{6}\right) \Rightarrow \left(\dfrac{\square}{\square}, \dfrac{\square}{\square}\right)$

15 $\left(\dfrac{7}{10}, \dfrac{3}{5}\right) \Rightarrow \left(\dfrac{\square}{\square}, \dfrac{\square}{\square}\right)$

[16~20] 두 분모의 최소공배수를 공통분모로 하여 통분해 보세요.

16 $\left(\dfrac{7}{10}, \dfrac{8}{15}\right) \Rightarrow \left(\dfrac{\square}{30}, \dfrac{\square}{30}\right)$

17 $\left(\dfrac{3}{8}, \dfrac{7}{12}\right) \Rightarrow \left(\dfrac{\square}{24}, \dfrac{\square}{24}\right)$

18 $\left(\dfrac{11}{30}, \dfrac{7}{45}\right) \Rightarrow \left(\dfrac{\square}{90}, \dfrac{\square}{90}\right)$

19 $\left(\dfrac{7}{15}, \dfrac{5}{6}\right) \Rightarrow \left(\dfrac{\square}{\square}, \dfrac{\square}{\square}\right)$

20 $\left(\dfrac{5}{12}, \dfrac{8}{9}\right) \Rightarrow \left(\dfrac{\square}{\square}, \dfrac{\square}{\square}\right)$

4

약분과 통분

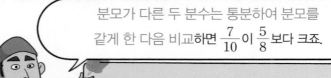

두 분수의 크기를 비교하여 큰 수쪽으로 가면 돼요.

분모가 다른 두 분수는 통분하여 분모를 같게 한 다음 비교하면 $\frac{7}{10}$ 이 $\frac{5}{8}$ 보다 크죠.

- $\frac{5}{8}$ 와 $\frac{7}{10}$ 의 크기 비교

$$\left(\frac{5}{8}, \frac{7}{10}\right) \Rightarrow \left(\frac{25}{40}, \frac{28}{40}\right)$$

$$\Rightarrow \frac{5}{8} < \frac{7}{10}$$

◎ 분수의 크기 비교

분모가 다른 두 분수는 통분하여 분모를 같게 한 다음 비교합니다.

$$\left(\frac{5}{8}, \frac{7}{10}\right) \Rightarrow \left(\frac{25}{40}, \frac{28}{40}\right) \Rightarrow \frac{5}{8} \;\textcircled{<}\; \frac{7}{10}$$

$$\left(\frac{5\times\boxed{\text{❶}}}{8\times5}, \frac{7\times\boxed{\text{❷}}}{10\times4}\right)$$

$\dfrac{5}{8}$ 와 $\dfrac{7}{10}$ 을 두 분모 8과 10의 최소공배수인 40을 공통분모로 하여 통분한 다음 크기를 비교해요.

◎ 정답 ❶ 5 ❷ 4

4 약분과 통분

1 $\dfrac{5}{6}$ 와 $\dfrac{3}{4}$ 을 통분한 다음 크기를 비교하여 ○ 안에 >, =, <를 알맞게 써넣으세요.

$$\left(\frac{5}{6}, \frac{3}{4}\right) \Rightarrow \left(\frac{\square}{12}, \frac{\square}{\square}\right) \Rightarrow \frac{5}{6} \;\bigcirc\; \frac{3}{4}$$

[2~3] 분수의 크기를 비교하여 ○ 안에 >, =, <를 알맞게 써넣으세요.

2 $\dfrac{3}{7} \;\bigcirc\; \dfrac{2}{9}$

3 $\dfrac{2}{3} \;\bigcirc\; \dfrac{5}{6}$

4 세 분수 $\dfrac{3}{8}, \dfrac{7}{12}, \dfrac{9}{20}$ 의 크기를 비교하려고 합니다. □ 안에 알맞은 수를 써넣고, 분수의 크기를 비교하여 ○ 안에 >, =, <를 알맞게 써넣으세요.

$$\left(\frac{3}{8}, \frac{7}{12}\right) \Rightarrow \left(\frac{\square}{24}, \frac{\square}{24}\right) \Rightarrow \frac{3}{8} \;\bigcirc\; \frac{7}{12}$$

$$\left(\frac{7}{12}, \frac{9}{20}\right) \Rightarrow \left(\frac{\square}{60}, \frac{\square}{60}\right) \Rightarrow \frac{7}{12} \;\bigcirc\; \frac{9}{20}$$

$$\left(\frac{3}{8}, \frac{9}{20}\right) \Rightarrow \left(\frac{\square}{40}, \frac{\square}{40}\right) \Rightarrow \frac{3}{8} \;\bigcirc\; \frac{9}{20}$$

따라서 작은 수부터 차례로 쓰면 $\boxed{}$, $\boxed{}$, $\boxed{}$ 입니다.

분모가 다른 세 분수는 두 분수씩 차례로 통분하여 크기를 비교해요.

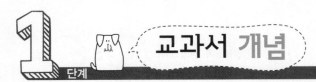

자, 어서 서두르자.

예지야, 여기 좀 으스스한 것 같지 않아?

두리번 두리번

같이 가요!!

안!

두 수 중 더 큰 수쪽으로 가야 하는데……. 어느 수가 더 크지?

두 분수를 약분하여 비교하면 돼요.

그럼 수호가 풀어 볼래?

네, 제가 풀어 볼게요!

$\dfrac{6}{20}$ 과 $\dfrac{12}{30}$ 를 분모가 10이 되도록 약분하여 비교하면 $\dfrac{12}{30}$ 가 $\dfrac{6}{20}$ 보다 커요.

- $\dfrac{6}{20}$ 과 $\dfrac{12}{30}$ 의 크기 비교

$$\left(\dfrac{6}{20},\ \dfrac{12}{30} \right) \Rightarrow \left(\dfrac{3}{10},\ \dfrac{4}{10} \right)$$

$$\Rightarrow \dfrac{6}{20} < \dfrac{12}{30}$$

이쪽으로 가면 돼요.

오우~ 수호~

다 다 다

헉!

헉 꿍 쩍 마

이게 어떻게 된 일이지?

· 스피드 정답표 9쪽, 정답 33쪽

○ 월 ○ 일

4

약분과 통분

◎ **분수와 소수의 크기 비교**

· $\frac{6}{20}$과 $\frac{12}{30}$의 크기 비교

방법1 두 분수를 약분하여 비교하기

$\left(\frac{6}{20}, \frac{12}{30}\right) \Rightarrow \left(\frac{3}{10}, \frac{4}{10}\right) \Rightarrow \frac{6}{20} \enspace \textless \enspace \frac{12}{30}$

방법2 두 분수를 소수로 나타내어 비교하기

$\left(\frac{6}{20}, \frac{12}{30}\right) \Rightarrow \left(\frac{3}{10}, \frac{❶}{10}\right) \Rightarrow (0.3, 0.4)$

$\quad\quad\quad\quad\quad\quad\quad\quad \rightarrow 0.3 \enspace \textless \enspace 0.4$

$\Rightarrow \frac{6}{20} \enspace \textless \enspace \frac{12}{30}$

· $\frac{2}{5}$와 0.5의 크기 비교

방법1 분수를 소수로 나타내어 비교하기

$\frac{2}{5} = \frac{4}{10} = 0.4$ $\quad \frac{2}{5} \enspace \textless \enspace 0.5$

방법2 소수를 분수로 나타내어 비교하기

$\frac{2}{5} = \frac{4}{10}$ $\quad \frac{2}{5} \enspace \textless \enspace 0.5$ $\quad 0.5 = \frac{❷}{10}$

○ 정답 ❶ 4 ❷ 5

1 $\frac{16}{40}$과 $\frac{15}{50}$의 크기를 비교하려고 합니다. 물음에 답하세요.

(1) $\frac{16}{40}$과 $\frac{15}{50}$를 약분하여 크기를 비교해 보세요.

$\left(\frac{16}{40}, \frac{15}{50}\right) \Rightarrow \left(\frac{\square}{10}, \frac{\square}{10}\right) \Rightarrow \frac{16}{40} \bigcirc \frac{15}{50}$

분수를 소수로 나타낼 때, 분모가 10인 분수로 고친 다음 소수로 나타내요.

(2) $\frac{16}{40}$과 $\frac{15}{50}$를 소수로 나타내어 크기를 비교해 보세요.

$\left(\frac{16}{40}, \frac{15}{50}\right) \Rightarrow \left(\frac{4}{10}, \frac{\square}{10}\right) \Rightarrow (0.4, \square) \Rightarrow \frac{16}{40} \bigcirc \frac{15}{50}$

[2~5] 분수와 소수의 크기를 비교하여 ○ 안에 >, =, <를 알맞게 써넣으세요.

2 $\frac{4}{5} \bigcirc 0.7$

3 $2\frac{1}{2} \bigcirc 2.6$

분수를 소수로 나타내거나 소수를 분수로 나타내어 크기를 비교해 봐요.

4 $0.3 \bigcirc \frac{18}{50}$

5 $5.6 \bigcirc 5\frac{2}{5}$

분수의 크기 비교

[01~04] 분수를 통분한 다음 크기를 비교하여 ◯ 안에 >, =, <를 알맞게 써넣으세요.

01 $\left(\dfrac{2}{5}, \dfrac{3}{7}\right) \Rightarrow \left(\dfrac{\boxed{}}{35}, \dfrac{\boxed{}}{35}\right)$

$\Rightarrow \dfrac{2}{5} \bigcirc \dfrac{3}{7}$

02 $\left(\dfrac{5}{8}, \dfrac{8}{12}\right) \Rightarrow \left(\dfrac{\boxed{}}{24}, \dfrac{\boxed{}}{24}\right)$

$\Rightarrow \dfrac{5}{8} \bigcirc \dfrac{8}{12}$

03 $\left(\dfrac{6}{9}, \dfrac{9}{15}\right) \Rightarrow \left(\dfrac{\boxed{}}{45}, \dfrac{\boxed{}}{45}\right)$

$\Rightarrow \dfrac{6}{9} \bigcirc \dfrac{9}{15}$

04 $\left(\dfrac{3}{4}, \dfrac{4}{6}\right) \Rightarrow \left(\dfrac{\boxed{}}{12}, \dfrac{\boxed{}}{12}\right)$

$\Rightarrow \dfrac{3}{4} \bigcirc \dfrac{4}{6}$

[05~08] 분수의 크기를 비교하여 ◯ 안에 >, =, <를 알맞게 써넣으세요.

05 $\dfrac{3}{5} \bigcirc \dfrac{5}{8}$

06 $\dfrac{5}{12} \bigcirc \dfrac{4}{9}$

07 $\dfrac{8}{15} \bigcirc \dfrac{11}{25}$

08 $\dfrac{3}{8} \bigcirc \dfrac{7}{24}$

09 세 분수의 크기를 비교하여 크기가 작은 수부터 차례로 써 보세요.

$$\dfrac{2}{5}, \ \dfrac{4}{9}, \ \dfrac{1}{2}$$

(   )

분수와 소수의 크기 비교

[10~11] 분수를 약분한 다음 크기를 비교하여 ◯ 안에 >, =, <를 알맞게 써넣으세요.

10 $\left(\dfrac{9}{30}, \dfrac{14}{70}\right) \Rightarrow \left(\dfrac{\square}{10}, \dfrac{\square}{10}\right)$

$\Rightarrow \dfrac{9}{30} \bigcirc \dfrac{14}{70}$

11 $\left(\dfrac{35}{50}, \dfrac{64}{80}\right) \Rightarrow \left(\dfrac{\square}{10}, \dfrac{\square}{10}\right)$

$\Rightarrow \dfrac{35}{50} \bigcirc \dfrac{64}{80}$

[12~13] 분수를 소수로 나타낸 다음 크기를 비교하여 ◯ 안에 >, =, <를 알맞게 써넣으세요.

12 $\left(\dfrac{24}{40}, \dfrac{14}{20}\right) \Rightarrow \left(\dfrac{6}{10}, \dfrac{\square}{10}\right) \Rightarrow (0.6, \boxed{})$

$\Rightarrow \dfrac{24}{40} \bigcirc \dfrac{14}{20}$

13 $\left(\dfrac{36}{60}, \dfrac{54}{90}\right) \Rightarrow \left(\dfrac{\square}{10}, \dfrac{6}{10}\right) \Rightarrow (\boxed{}, 0.6)$

$\Rightarrow \dfrac{36}{60} \bigcirc \dfrac{54}{90}$

[14~20] 분수와 소수의 크기를 비교하여 ◯ 안에 >, =, <를 알맞게 써넣으세요.

14 $0.4 \bigcirc \dfrac{1}{5}$

15 $1.3 \bigcirc 1\dfrac{1}{5}$

16 $\dfrac{7}{20} \bigcirc 0.55$

17 $\dfrac{45}{50} \bigcirc 0.8$

18 $2.49 \bigcirc 2\dfrac{32}{40}$

19 $1.37 \bigcirc 1\dfrac{7}{20}$

20 $\dfrac{18}{30} \bigcirc 0.7$

4

약분과 통분

익힘책 익히기

01 분수만큼 아래부터 색칠하고, 크기가 같은 분수를 써 보세요.

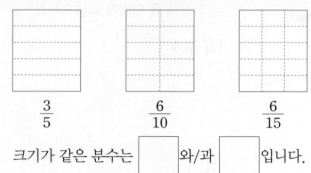

$$\frac{3}{5} \qquad \frac{6}{10} \qquad \frac{6}{15}$$

크기가 같은 분수는 [　　] 와/과 [　　] 입니다.

Tip

나누어진 칸 수는 달라도 색칠한 부분의 크기가 같으면 크기가 같은 분수예요.

02 분수만큼 수직선에 나타내고 크기가 같은 분수를 써 보세요.

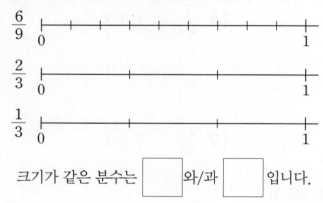

$$\frac{6}{9} \qquad 0 \qquad\qquad\qquad 1$$

$$\frac{2}{3} \qquad 0 \qquad\qquad\qquad 1$$

$$\frac{1}{3} \qquad 0 \qquad\qquad\qquad 1$$

크기가 같은 분수는 [　　] 와/과 [　　] 입니다.

03 □ 안에 알맞은 수를 써넣어 크기가 같은 분수를 만들어 보세요.

(1) $\dfrac{3}{5} = \dfrac{6}{\square} = \dfrac{9}{\square}$

(2) $\dfrac{24}{32} = \dfrac{\square}{16} = \dfrac{\square}{8}$

• 분모와 분자에 각각 0이 아닌 같은 수를 곱하면 크기가 같은 분수가 됩니다.

분모와 분자를 각각 0이 아닌 같은 수로 나누면 크기가 같은 분수가 됩니다.

04 분수를 기약분수로 나타내려고 합니다. □ 안에 알맞은 수를 써넣으세요.

(1) $\dfrac{16}{24} = \dfrac{16 \div \square}{24 \div \square} = \dfrac{\square}{\square}$

(2) $\dfrac{36}{48} = \dfrac{36 \div \square}{48 \div \square} = \dfrac{\square}{\square}$

• 분모와 분자의 최대공약수로 약분하여 기약분수로 나타냅니다.

05 $\dfrac{3}{8}$ 과 크기가 같은 분수를 모두 찾아 ○표 하세요.

$$\dfrac{6}{16} \qquad \dfrac{12}{28} \qquad \dfrac{24}{40} \qquad \dfrac{9}{24} \qquad \dfrac{16}{24}$$

Tip

분모와 분자의
공약수가 1뿐인 분수가
기약분수예요.

06 기약분수로 나타내어 보세요.

(1) $\dfrac{11}{44} = \dfrac{\Box}{\Box}$

(2) $\dfrac{28}{70} = \dfrac{\Box}{\Box}$

07 기약분수인 것을 모두 찾아 ○표 하세요.

$$\dfrac{2}{3} \qquad \dfrac{4}{6} \qquad \dfrac{5}{12} \qquad \dfrac{3}{9}$$

08 두 분모의 곱을 공통분모로 하여 통분해 보세요.

(1) $\left(\dfrac{2}{5}, \dfrac{4}{7} \right) \Rightarrow \left(\dfrac{\Box}{35}, \dfrac{\Box}{35} \right)$

(2) $\left(\dfrac{3}{8}, \dfrac{5}{6} \right) \Rightarrow \left(\dfrac{\Box}{48}, \dfrac{\Box}{48} \right)$

• 분모의 곱을 공통분모로 하여
통분할 때에는 다음과 같이
'×'자 모양으로 곱하여 분자
에 씁니다.

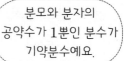

$$3 \times 5 \qquad\qquad 2 \times 4$$
$$\left(\dfrac{3}{4} \times \dfrac{2}{5} \right) \Rightarrow \left(\dfrac{15}{20}, \dfrac{8}{20} \right)$$
$$4 \times 5 \qquad\qquad 4 \times 5$$

09 $\dfrac{5}{8}$와 $\dfrac{3}{10}$을 통분하려고 합니다. □ 안에 알맞은 수를 써넣으세요.

Tip

(1) 두 분모의 곱을 공통분모로 하여 통분하면

$$\dfrac{5}{8}=\dfrac{5\times\square}{8\times10}=\dfrac{\square}{\square}\,,\;\dfrac{3}{10}=\dfrac{3\times\square}{10\times8}=\dfrac{\square}{\square}\text{이므로}$$

$$\left(\dfrac{\square}{\square}\,,\;\dfrac{\square}{\square}\right)\text{입니다.}$$

· 분수의 분모를 같게 하는 것을 통분한다고 하고, 통분한 분모를 공통분모라고 합니다.

(2) 두 분모의 최소공배수를 공통분모로 하여 통분하면

$$\dfrac{5}{8}=\dfrac{5\times\square}{8\times5}=\dfrac{\square}{\square}\,,\;\dfrac{3}{10}=\dfrac{3\times\square}{10\times4}=\dfrac{\square}{\square}\text{이므로}$$

$$\left(\dfrac{\square}{\square}\,,\;\dfrac{\square}{\square}\right)\text{입니다.}$$

10 두 분모의 최소공배수를 공통분모로 하여 통분해 보세요.

(1) $\left(\dfrac{7}{12},\,\dfrac{11}{18}\right)\Rightarrow\left(\qquad,\qquad\right)$

(2) $\left(\dfrac{5}{18},\,\dfrac{10}{27}\right)\Rightarrow\left(\qquad,\qquad\right)$

최소공배수는 두 수의 공배수 중 가장 작은 수예요.

11 두 분수를 통분하여 크기를 비교해 보세요.

(1) $\left(\dfrac{3}{4},\,\dfrac{6}{7}\right)\Rightarrow\left(\dfrac{\square}{28},\,\dfrac{\square}{28}\right)\Rightarrow\dfrac{3}{4}\;\bigcirc\;\dfrac{6}{7}$

(2) $\left(\dfrac{3}{8},\,\dfrac{1}{3}\right)\Rightarrow\left(\dfrac{\square}{24},\,\dfrac{\square}{24}\right)\Rightarrow\dfrac{3}{8}\;\bigcirc\;\dfrac{1}{3}$

12 분수를 분모가 10인 분수로 고치고, 소수로 나타내어 보세요.

(1) $\dfrac{4}{5} = \dfrac{4 \times \square}{5 \times \square} = \dfrac{\square}{\square} = \square$

(2) $\dfrac{1}{2} = \dfrac{1 \times \square}{2 \times \square} = \dfrac{\square}{\square} = \square$

Tip

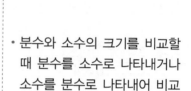

분수 $\dfrac{\blacktriangle}{10}$ 는 소수 $0.\blacktriangle$ 로 나타낼 수 있어요.

4

약분과 통분

13 두 수의 크기를 비교하여 ○ 안에 >, =, <를 알맞게 써넣으세요.

(1) $\dfrac{1}{2}$ ◯ $\dfrac{4}{7}$

(2) $\dfrac{8}{11}$ ◯ $\dfrac{5}{6}$

(3) 3.78 ◯ $3\dfrac{3}{4}$

(4) $\dfrac{2}{5}$ ◯ 0.9

· 분수와 소수의 크기를 비교할 때 분수를 소수로 나타내거나 소수를 분수로 나타내어 비교합니다.

14 세 분수의 크기를 비교하여 □ 안에 작은 분수부터 차례로 써 보세요.

(1) $\left(\dfrac{3}{5}, \dfrac{1}{3}, \dfrac{7}{10} \right)$ ⇨ $\square$, $\square$, $\square$

(2) $\left(\dfrac{5}{16}, \dfrac{17}{32}, \dfrac{3}{8} \right)$ ⇨ $\square$, $\square$, $\square$

· 두 분수씩 차례로 통분하여 비교합니다.

01 분수만큼 아래부터 색칠하고 알맞은 말에 ○표 하세요.

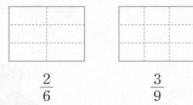

$$\frac{2}{6} \qquad \frac{3}{9}$$

$\frac{2}{6}$와 $\frac{3}{9}$은 크기가 (같은, 다른) 분수입니다.

[02~03] □ 안에 알맞은 수를 써넣으세요.

02 $\dfrac{3}{5} = \dfrac{3 \times \boxed{}}{5 \times 4} = \dfrac{\boxed{}}{\boxed{}}$

03 $\dfrac{18}{24} = \dfrac{18 \div 6}{24 \div \boxed{}} = \dfrac{\boxed{}}{\boxed{}}$

04 □ 안에 알맞은 수를 써넣어 크기가 같은 분수를 만들어 보세요.

$$\frac{4}{7} = \frac{\boxed{}}{14} = \frac{12}{\boxed{}} = \frac{\boxed{}}{28}$$

05 다음 중 크기가 같은 분수를 바르게 만든 것은 어느 것일까요? ·········· ( )

① $\dfrac{12}{20} = \dfrac{12 \times 0}{20 \times 0}$ ② $\dfrac{12}{20} = \dfrac{12 \times 2}{20 \times 2}$

③ $\dfrac{12}{20} = \dfrac{12 + 5}{20 + 5}$ ④ $\dfrac{12}{20} = \dfrac{12 - 3}{20 - 3}$

⑤ $\dfrac{12}{20} = \dfrac{12 \times 12}{20 \times 20}$

06 기약분수로 나타내어 보세요.

$$\boxed{\dfrac{42}{56}}$$

( )

07 크기가 같은 분수끼리 선으로 이으세요.

$\boxed{\dfrac{20}{25}}$ •   • $\boxed{\dfrac{2}{5}}$

$\boxed{\dfrac{9}{12}}$ •   • $\boxed{\dfrac{4}{5}}$

$\boxed{\dfrac{24}{60}}$ •   • $\boxed{\dfrac{3}{4}}$

08 두 분모의 곱을 공통분모로 하여 통분해 보세요.

$$\left(\frac{3}{4},\ \frac{2}{11}\right) \Rightarrow (\qquad ,\qquad)$$

09 두 분모의 최소공배수를 공통분모로 하여 통분해 보세요.

$$\left(\frac{7}{25},\ \frac{27}{50}\right) \Rightarrow (\qquad ,\qquad)$$

10 □ 안에 알맞은 수를 써넣고, $\frac{7}{18}$ 과 $\frac{10}{27}$ 의 크기를 비교해 보세요.

$$\frac{7}{18} = \frac{\boxed{}}{54}$$
$$\frac{10}{27} = \frac{\boxed{}}{54}$$
$$\Rightarrow \frac{7}{18} \bigcirc \frac{10}{27}$$

11 다음 중 $\frac{36}{54}$ 을 약분한 것이 <u>아닌</u> 것을 찾아 기호를 쓰세요.

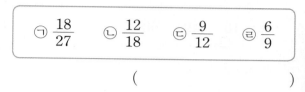

$$\text{㉠ } \frac{18}{27} \qquad \text{㉡ } \frac{12}{18} \qquad \text{㉢ } \frac{9}{12} \qquad \text{㉣ } \frac{6}{9}$$

(   )

[12~13] 두 수의 크기를 비교하여 ○ 안에 >, =, <를 알맞게 써넣으세요.

12 $\boxed{\dfrac{9}{20}}$ ○ $\boxed{\dfrac{11}{24}}$

13 $\boxed{\dfrac{48}{60}}$ ○ $\boxed{0.9}$

14 기약분수는 모두 몇 개일까요?

$$\frac{14}{24} \qquad \frac{5}{8} \qquad \frac{18}{81} \qquad \frac{2}{9} \qquad \frac{7}{21}$$

(   )

15 $\frac{3}{7}$ 과 $\frac{2}{9}$ 를 통분하려고 합니다. 공통분모가 될 수 있는 수를 모두 찾아 써 보세요.

| 16 | 49 | 63 | 81 | 126 | 189 |

( )

16 $\frac{36}{60}$ 을 약분하려고 합니다. 분모와 분자를 나눌 수 없는 수는 어느 것일까요? ·············· ( )

① 2   ② 3   ③ 4
④ 5   ⑤ 6

17 세 분수의 크기를 비교하여 작은 수부터 차례로 써 보세요.

| $\frac{5}{8}$, $\frac{3}{10}$, $\frac{7}{12}$ |

( )

18 두 분수의 크기를 비교하여 더 작은 분수를 아래의 빈칸에 써넣으세요.

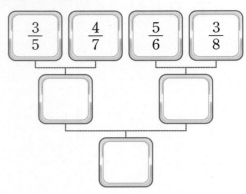

19 분수와 소수의 크기를 비교하여 큰 수부터 차례로 써 보세요.

| 0.8 $1\frac{1}{2}$ 1.7 $\frac{3}{5}$ |

( )

20 분모가 15인 진분수 중에서 기약분수는 모두 몇 개일까요?

( )

스스로 학습장은 이 단원에서 배운 것을 확인하는 코너입니다.
몰랐던 것은 꼭 다시 공부해서 내 것으로 만들어 보아요.

• 스피드 정답표 9쪽, 정답 36쪽

4

약분과 통분

✸ **설명을 읽고 맞으면 ◯표, 틀리면 ✕표 하세요.**

1 $\frac{2}{6}$와 $\frac{6}{18}$은 크기가 같은 분수입니다. ⬜

2 분모와 분자를 공약수로 나누어 간단히 하는 것을 약분한다고 합니다. ⬜

3 $\frac{12}{48}$를 기약분수로 나타내면 $\frac{2}{8}$입니다. ⬜

4 $\frac{15}{25}$를 분모와 분자를 각각 5로 나누어 약분하면 $\frac{3}{5}$입니다. ⬜

5 분수를 통분한 분모를 공통분모라고 합니다. ⬜

6 $\frac{1}{4}$과 $\frac{4}{7}$를 분모의 곱을 공통분모로 하여 통분하면 $\frac{7}{28}$과 $\frac{16}{28}$입니다. ⬜

7 $\frac{7}{12}$과 $\frac{5}{8}$를 분모의 최소공배수를 공통분모로 하여 통분하면 $\frac{14}{24}$와 $\frac{15}{24}$입니다. ⬜

8 $\frac{12}{40}$는 0.8보다 큽니다. ⬜

9 $\frac{16}{24}$은 $\frac{5}{8}$보다 작습니다. ⬜

맞은 개수
8~9개

야호!
당신은 수학왕!

맞은 개수
6~7개

좀 더 노력하면
수학왕이 될 수 있어요.

맞은 개수
0~5개

이런! 수학 실력을
더 쌓아야겠어요.

5

분수의 덧셈과 뺄셈

뭐지?
날 여기에 왜 가둔 거지?

여기에 해결책이
있을 거야!!

여기 있다!!

우릴 잡아온 부족은 보물을
지키는 우당탕 부족!

보물을 지키기 위해
곳곳에 함정을
만들어 놓았다.

나실 나 함정

감옥들은 자물쇠로
단단히 잠겨 있다.

여기서 탈출할
방법은 암호를 풀어
자물쇠를 열면 된다?

QR 코드를 찍으면
5단원 개념 동영상
강의를 볼 수 있어요.

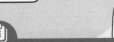

이번에 배울 내용

- 분모가 다른 진분수의 덧셈
- 분모가 다른 대분수의 덧셈
- 분모가 다른 진분수의 뺄셈
- 분모가 다른 대분수의 뺄셈

여기선 자물쇠의 암호가 전혀 안 보이는데…….

낑 낑

이봐요~. 누구 없어요?

자네, 혹시 핀손?

누구야? 설마 콜럼버스?

맞아. 나야, 콜럼버스!

자네, 혹시 보물지도를 가져갔나?

잠깐! 지금 그게 중요한 게 아니네!

혹시 거기서는 여기에 적힌 암호가 보이나?

응! 분수의 뺄셈식이 적혀 있어.

그걸 계산할 수 있겠어?

물론이지. 어렵지 않은 문제야~.

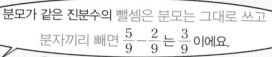

분모가 같은 진분수의 뺄셈은 분모는 그대로 쓰고 분자끼리 빼면 $\frac{5}{9} - \frac{2}{9}$ 는 $\frac{3}{9}$ 이에요.

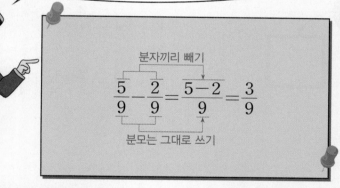

분자끼리 빼기

$$\frac{5}{9} - \frac{2}{9} = \frac{5-2}{9} = \frac{3}{9}$$

분모는 그대로 쓰기

아~ 그럼 $\frac{3}{9}$ 을 누르면 되겠군.

응?

탈 출 이 다

앗! 핀손, 여기도 열어줘야지.

훗! 난 바빠서

난 먼저 가네~.

이봐! 열어주고 가.

1 □ 안에 알맞은 수를 써넣으세요.

(1) $\dfrac{5}{6}+\dfrac{4}{6}=\dfrac{5+\boxed{}}{6}=\dfrac{\boxed{}}{6}=\boxed{}\dfrac{\boxed{}}{6}$

(2) $\dfrac{7}{11}-\dfrac{4}{11}=\dfrac{7-\boxed{}}{11}=\dfrac{\boxed{}}{11}$

2 계산해 보세요.

(1) $1-\dfrac{5}{7}$ (2) $1-\dfrac{4}{9}$

3 빈칸에 알맞은 수를 써넣으세요.

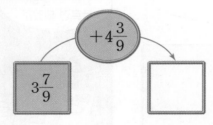

4 보기 와 같이 계산해 보세요.

보기
$$3-1\dfrac{3}{4}=\dfrac{12}{4}-\dfrac{7}{4}=\dfrac{5}{4}=1\dfrac{1}{4}$$

$5-2\dfrac{3}{7}$

개념 체크 ① ◀ 4학년 2학기 1단원

진분수의 덧셈과 뺄셈

• 진분수의 덧셈

$$\dfrac{3}{5}+\dfrac{4}{5}=\dfrac{3+4}{5}=\dfrac{7}{5}=1\dfrac{2}{5}$$

⇨ 분모는 그대로 두고 분자끼리 더한 후 가분수이면 대분수로 바꿉니다.

• 진분수의 뺄셈

$$\dfrac{5}{7}-\dfrac{3}{7}=\dfrac{5-3}{7}=\dfrac{2}{7}$$

⇨ 분모는 그대로 두고 분자끼리 뺍니다.

개념 체크 ② ◀ 4학년 2학기 1단원

1과 진분수의 차

$$1-\dfrac{2}{5}=\dfrac{5}{5}-\dfrac{2}{5}=\dfrac{3}{5}$$

⇨ 1을 $\dfrac{5}{5}$ 로 바꾸어 진분수의 뺄셈과 같은 방법으로 계산합니다.

개념 체크 ③ ◀ 4학년 2학기 1단원

대분수의 덧셈

① $2\dfrac{3}{4}+1\dfrac{2}{4}=(2+1)+\left(\dfrac{3}{4}+\dfrac{2}{4}\right)$
$\qquad =3+1\dfrac{1}{4}=4\dfrac{1}{4}$

② $2\dfrac{3}{4}+1\dfrac{2}{4}=\dfrac{11}{4}+\dfrac{6}{4}=\dfrac{17}{4}=4\dfrac{1}{4}$

개념 체크 ④ ◀ 4학년 2학기 1단원

자연수와 분수의 차

① $4-1\dfrac{3}{5}=3\dfrac{5}{5}-1\dfrac{3}{5}=2\dfrac{2}{5}$

② $4-1\dfrac{3}{5}=\dfrac{20}{5}-\dfrac{8}{5}=\dfrac{12}{5}=2\dfrac{2}{5}$

5 두 수의 차를 구하세요.

$$2\frac{5}{8} \qquad 5\frac{1}{8}$$

(   )

6 두 분모의 곱을 공통분모로 하여 통분해 보세요.

$$\left(\frac{2}{8}, \frac{4}{9}\right) \Rightarrow \left(\frac{\square}{\square}, \frac{\square}{\square}\right)$$

7 두 분모의 최소공배수를 공통분모로 하여 통분해 보세요.

$$\left(\frac{5}{6}, \frac{7}{8}\right) \Rightarrow \left(\frac{\square}{\square}, \frac{\square}{\square}\right)$$

8 분수의 크기를 비교하여 ○ 안에 >, =, <를 알맞게 써넣으세요.

$$\frac{4}{5} \quad \bigcirc \quad \frac{7}{8}$$

개념 체크 5 ◀ 4학년 2학기 1단원

대분수의 뺄셈

① $3\frac{2}{6} - 1\frac{3}{6} = 2\frac{8}{6} - 1\frac{3}{6} = 1\frac{5}{6}$

② $3\frac{2}{6} - 1\frac{3}{6} = \frac{20}{6} - \frac{9}{6} = \frac{11}{6} = 1\frac{5}{6}$

개념 체크 6 ◀ 5학년 1학기 4단원

두 분모의 곱을 공통분모로 하여 통분하기

$$\left(\frac{2}{5}, \frac{1}{3}\right) \Rightarrow \left(\frac{2\times3}{5\times3}, \frac{1\times5}{3\times5}\right)$$
$$\Rightarrow \left(\frac{6}{15}, \frac{5}{15}\right)$$

개념 체크 7 ◀ 5학년 1학기 4단원

두 분모의 최소공배수를 공통분모로 하여 통분하기

$$\left(\frac{1}{4}, \frac{4}{6}\right) \Rightarrow \left(\frac{1\times3}{4\times3}, \frac{4\times2}{6\times2}\right)$$
$$\Rightarrow \left(\frac{3}{12}, \frac{8}{12}\right)$$

$\begin{array}{r|ll} 2 & 4 & 6 \\ \hline & 2 & 3 \end{array}$ ⇨ 4와 6의 최소공배수 : $2\times2\times3 = 12$

개념 체크 8 ◀ 5학년 1학기 4단원

분모가 다른 분수의 크기 비교

• $\frac{4}{6}$와 $\frac{5}{9}$의 크기 비교

$$\left(\frac{4}{6}, \frac{5}{9}\right) \Rightarrow \left(\frac{12}{18}, \frac{10}{18}\right)$$
$$\Rightarrow \frac{4}{6} \enspace \bigcirc{>} \enspace \frac{5}{9}$$

5

분수의 덧셈과 뺄셈

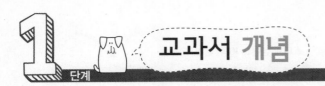

이제 어쩌지?

제게 좋은 방법이 있어요.

무슨 방법이죠?

그건 바로……

바로 저의 미모를 이용하는 거죠.

헐~ 미·모

저기요~.

응?

저희 좀 여기서 꺼내 주시면 안 되나요?

애교~

찰랑~

거 절

그럼 여기 자물쇠에 적힌 암호라도 알려줘요~.

$\frac{1}{6} + \frac{3}{8}$ 이라고?

휙

앗! 분모가 다른 진분수의 덧셈?

제가 풀어 볼게요~.

두 분모의 곱을 공통분모로 하여 통분한 후 계산하면 $\frac{1}{6} + \frac{3}{8} = \frac{13}{24}$ 이에요.

$$\frac{1}{6} + \frac{3}{8} = \frac{1 \times 8}{6 \times 8} + \frac{3 \times 6}{8 \times 6}$$
$$= \frac{8}{48} + \frac{18}{48} = \frac{26}{48} = \frac{13}{24}$$

약분하기

앗! 근데 문이 안 열려요.

다른 식을 말해 줬지~.

크크 속았 지롱~

◎ 분모가 다른 진분수의 덧셈 (1) — 받아올림이 없는 계산

• $\dfrac{1}{6}+\dfrac{3}{8}$의 계산

방법1 두 분모의 곱을 공통분모로 하여 통분한 후 계산하기

$$\dfrac{1}{6}+\dfrac{3}{8}=\dfrac{1\times 8}{6\times 8}+\dfrac{3\times 6}{8\times 6}=\dfrac{8}{48}+\dfrac{18}{48}=\dfrac{26}{48}=\dfrac{\boxed{①}}{24}$$

약분하기

방법2 두 분모의 최소공배수를 공통분모로 하여 통분한 후 계산하기

$$\dfrac{1}{6}+\dfrac{3}{8}=\dfrac{1\times 4}{6\times 4}+\dfrac{3\times 3}{8\times 3}=\dfrac{4}{24}+\dfrac{\boxed{②}}{24}=\dfrac{\boxed{③}}{24}$$

분모가 다른 분수의 덧셈은 분수를 통분한 후 계산해요.

➡ 정답 ① 13 ② 9 ③ 13

5

분수의 덧셈과 뺄셈

1 $\dfrac{2}{9}+\dfrac{1}{3}$을 그림을 이용하여 통분한 후 계산해 보려고 합니다. $\dfrac{2}{9}$와 $\dfrac{1}{3}$을 각각 그림에 색칠하고 □ 안에 알맞은 수를 써넣으세요.

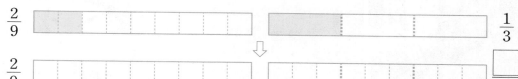

$$\dfrac{2}{9}+\dfrac{1}{3}=\dfrac{2}{9}+\dfrac{\boxed{\ }}{9}=\dfrac{\boxed{\ }}{9}$$

2 $\dfrac{1}{8}+\dfrac{3}{10}$을 두 가지 방법으로 계산해 보세요.

방법1 $\dfrac{1}{8}+\dfrac{3}{10}=\dfrac{1\times 10}{8\times 10}+\dfrac{3\times \boxed{\ }}{10\times 8}=\dfrac{10}{80}+\dfrac{\boxed{\ }}{80}=\dfrac{\boxed{\ }}{80}=\dfrac{\boxed{\ }}{40}$

약분하여 기약분수로 나타냅니다.

방법2 $\dfrac{1}{8}+\dfrac{3}{10}=\dfrac{1\times 5}{8\times 5}+\dfrac{3\times \boxed{\ }}{10\times 4}=\dfrac{5}{40}+\dfrac{\boxed{\ }}{40}=\dfrac{\boxed{\ }}{40}$

[3~4] 계산해 보세요.

3 $\dfrac{3}{5}+\dfrac{1}{4}$

4 $\dfrac{1}{10}+\dfrac{7}{20}$

두 분모의 곱이나 두 분모의 최소공배수를 공통분모로 하여 통분한 후 계산해요.

망했다. 우리 여기서 평생 살아야 해.

엉엉~ 안 돼요.

집에 가고 싶어요.

나도 집에 가고 싶다.

헐...... 왜 저래?

엉 엉~

여기 좀 보세요. 바위가 좀 이상해요.

바위가?

이 바위 뒤엔 탈출할 수 있는 길이 있다고 적혀 있어.

여기에는 분수의 덧셈식이 적혀 있어요.

오, 정말!

$\frac{3}{4} + \frac{7}{10}$ 을 계산하면 되는구나.

아저씨가 계산해 보세요.

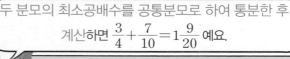

두 분모의 최소공배수를 공통분모로 하여 통분한 후 계산하면 $\frac{3}{4} + \frac{7}{10} = 1\frac{9}{20}$ 예요.

$$\frac{3}{4} + \frac{7}{10} = \frac{3 \times 5}{4 \times 5} + \frac{7 \times 2}{10 \times 2}$$
$$= \frac{15}{20} + \frac{14}{20} = \frac{29}{20} = 1\frac{9}{20}$$

대분수로 나타내기

열렸다.

덜컹

너무 깜깜해요.

잠깐! 기다려봐.

으악~ 귀신이다

펑!

후 다 다 다

◎ **분모가 다른 진분수의 덧셈** (2) — 받아올림이 있는 계산

• $\dfrac{3}{4}+\dfrac{7}{10}$의 계산

[방법1] 두 분모의 곱을 공통분모로 하여 통분한 후 계산하기

$$\dfrac{3}{4}+\dfrac{7}{10}=\dfrac{3\times10}{4\times10}+\dfrac{7\times4}{10\times4}=\dfrac{30}{40}+\dfrac{28}{40}=\dfrac{58}{40}=1\dfrac{18}{40}=1\dfrac{\boxed{❶}}{20}$$

<u>약분하기</u>

[방법2] 두 분모의 최소공배수를 공통분모로 하여 통분한 후 계산하기

$$\dfrac{3}{4}+\dfrac{7}{10}=\dfrac{3\times5}{4\times5}+\dfrac{7\times2}{10\times2}=\dfrac{15}{20}+\dfrac{14}{20}=\dfrac{\boxed{❷}}{20}=1\dfrac{\boxed{❸}}{20}$$

계산 결과가 가분수이면 대분수로 나타내요.

➡ 정답　❶ 9　❷ 29　❸ 9

1 $\dfrac{5}{8}+\dfrac{1}{2}$을 그림을 이용하여 통분한 후 계산해 보려고 합니다. 분수만큼 색칠하고 □ 안에 알맞은 수를 써넣으세요.

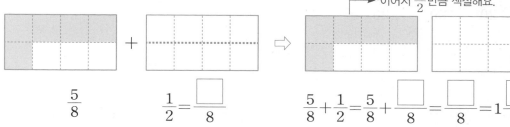

이어서 $\dfrac{1}{2}$만큼 색칠해요.

$\dfrac{5}{8}$　　$\dfrac{1}{2}=\dfrac{\boxed{}}{8}$

$$\dfrac{5}{8}+\dfrac{1}{2}=\dfrac{5}{8}+\dfrac{\boxed{}}{8}=\dfrac{\boxed{}}{8}=1\dfrac{\boxed{}}{8}$$

2 $\dfrac{5}{6}+\dfrac{3}{8}$을 두 가지 방법으로 계산해 보세요.

[방법1] $\dfrac{5}{6}+\dfrac{3}{8}=\dfrac{5\times8}{6\times8}+\dfrac{3\times\boxed{}}{8\times6}=\dfrac{40}{48}+\dfrac{\boxed{}}{48}$

$=\dfrac{\boxed{}}{48}=\boxed{}\dfrac{\boxed{}}{48}=\boxed{}\dfrac{\boxed{}}{24}$

약분하여 기약분수로 나타냅니다.

[방법2] $\dfrac{5}{6}+\dfrac{3}{8}=\dfrac{5\times4}{6\times4}+\dfrac{3\times\boxed{}}{8\times3}=\dfrac{20}{24}+\dfrac{\boxed{}}{24}$

$=\dfrac{\boxed{}}{24}=\boxed{}\dfrac{\boxed{}}{24}$

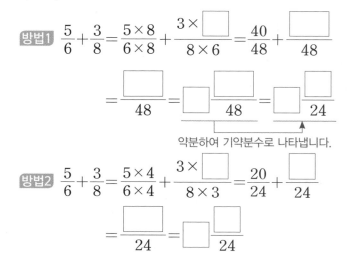

[방법1]은 두 분모의 곱을 공통분모로 하여 통분한 후 계산!

[방법2]는 두 분모의 최소공배수를 공통분모로 하여 통분한 후 계산해!

[3~4] 계산해 보세요.

3 $\dfrac{7}{9}+\dfrac{5}{18}$

4 $\dfrac{7}{10}+\dfrac{13}{15}$

분모가 다른 진분수의 덧셈 (1)

[01~02] □ 안에 알맞은 수를 써넣으세요.

01 $\dfrac{2}{9}+\dfrac{1}{6}=\dfrac{2\times\boxed{}}{9\times 2}+\dfrac{1\times\boxed{}}{6\times 3}$

$=\dfrac{\boxed{}}{18}+\dfrac{\boxed{}}{18}=\dfrac{\boxed{}}{18}$

02 $\dfrac{1}{4}+\dfrac{2}{5}=\dfrac{1\times\boxed{}}{4\times 5}+\dfrac{2\times\boxed{}}{5\times 4}$

$=\dfrac{\boxed{}}{20}+\dfrac{\boxed{}}{20}=\dfrac{\boxed{}}{20}$

[03~08] 계산해 보세요.

03 $\dfrac{2}{3}+\dfrac{1}{9}$

04 $\dfrac{1}{7}+\dfrac{3}{4}$

05 $\dfrac{2}{9}+\dfrac{7}{12}$

06 $\dfrac{1}{3}+\dfrac{1}{4}$

07 $\dfrac{1}{12}+\dfrac{3}{8}$

08 $\dfrac{1}{10}+\dfrac{5}{8}$

[09~10] 빈칸에 알맞은 수를 써넣으세요.

09

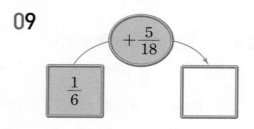

10

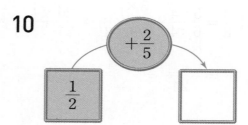

분모가 다른 진분수의 덧셈 (2)

[11~12] □ 안에 알맞은 수를 써넣으세요.

11 $\dfrac{5}{6}+\dfrac{5}{9}=\dfrac{5\times\square}{6\times 3}+\dfrac{5\times\square}{9\times 2}$

$=\dfrac{\square}{18}+\dfrac{\square}{18}$

$=\dfrac{\square}{18}=\square\dfrac{\square}{18}$

12 $\dfrac{2}{3}+\dfrac{5}{7}=\dfrac{2\times\square}{3\times 7}+\dfrac{5\times\square}{7\times 3}$

$=\dfrac{\square}{21}+\dfrac{\square}{21}$

$=\dfrac{\square}{21}=\square\dfrac{\square}{21}$

[13~18] 계산해 보세요.

13 $\dfrac{9}{11}+\dfrac{1}{2}$

14 $\dfrac{9}{10}+\dfrac{5}{6}$

15 $\dfrac{5}{8}+\dfrac{7}{12}$

16 $\dfrac{3}{10}+\dfrac{7}{8}$

17 $\dfrac{2}{5}+\dfrac{9}{10}$

18 $\dfrac{3}{4}+\dfrac{7}{12}$

[19~20] 빈칸에 알맞은 수를 써넣으세요.

19
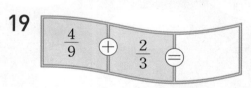

20
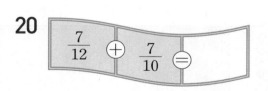

대분수를 가분수로 나타내어 통분한 후
계산하면 $1\frac{3}{5}+1\frac{1}{2}=3\frac{1}{10}$ 이에요.

$$1\frac{3}{5}+1\frac{1}{2}=\frac{8}{5}+\frac{3}{2}=\frac{16}{10}+\frac{15}{10}$$
$$=\frac{31}{10}=3\frac{1}{10}$$

◎ 분모가 다른 대분수의 덧셈

• $1\frac{3}{5}+1\frac{1}{2}$ 의 계산

방법1 통분한 후 자연수는 자연수끼리, 분수는 분수끼리 계산하기

$$1\frac{3}{5}+1\frac{1}{2}=1\frac{6}{10}+1\frac{5}{10}=(1+1)+\left(\frac{6}{10}+\frac{5}{10}\right)$$

$$=2+\frac{11}{10}=2+1\frac{1}{10}=3\frac{\boxed{❶}}{10}$$

방법2 대분수를 가분수로 나타내어 통분한 후 계산하기

$$1\frac{3}{5}+1\frac{1}{2}=\frac{8}{5}+\frac{3}{2}=\frac{16}{10}+\frac{15}{10}=\frac{31}{10}=\boxed{❷}\frac{\boxed{❸}}{10}$$

2가지 방법 중 편한 방법으로 계산해 봐요.

⊙ 정답 ❶ 1 ❷ 3 ❸ 1

5

분수의 덧셈과 뺄셈

1 $2\frac{2}{3}+1\frac{1}{2}$ 을 그림을 이용하여 통분한 후 계산해 보려고 합니다. 물음에 답하세요.

(1) 그림에 $2\frac{2}{3}$ 와 $1\frac{1}{2}$ 만큼 각각 색칠하고 ☐ 안에 알맞은 수를 써넣으세요.

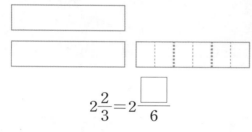

$$2\frac{2}{3}=2\frac{\boxed{}}{6}$$

$$1\frac{1}{2}=1\frac{\boxed{}}{6}$$

(2) ☐ 안에 알맞은 수를 써넣으세요.

$$2\frac{2}{3}+1\frac{1}{2}=2\frac{\boxed{}}{6}+1\frac{\boxed{}}{6}=(2+1)+\left(\frac{\boxed{}}{6}+\frac{\boxed{}}{6}\right)=\boxed{}+\frac{\boxed{}}{6}=\boxed{}+1\frac{\boxed{}}{6}=\boxed{}\frac{\boxed{}}{6}$$

2 보기 와 같이 대분수를 가분수로 나타내어 계산해 보세요.

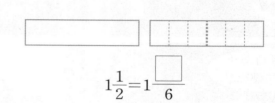

대분수를 가분수로 나타내어 계산하고 답은 대분수로 나타내요.

보기
$$1\frac{6}{7}+1\frac{1}{3}=\frac{13}{7}+\frac{4}{3}=\frac{39}{21}+\frac{28}{21}=\frac{67}{21}=3\frac{4}{21}$$

$3\frac{4}{5}+2\frac{1}{4}$

[3~4] 계산해 보세요.

3 $3\frac{7}{10}+5\frac{2}{5}$

4 $3\frac{3}{4}+4\frac{5}{6}$

두 분모의 곱을 공통분모로 하여 통분한 후 계산하면 $\dfrac{3}{4} - \dfrac{1}{6} = \dfrac{7}{12}$ 이에요.

$$\dfrac{3}{4} - \dfrac{1}{6} = \dfrac{3 \times 6}{4 \times 6} - \dfrac{1 \times 4}{6 \times 4}$$

$$= \dfrac{18}{24} - \dfrac{4}{24} = \dfrac{14}{24} = \dfrac{7}{12}$$

약분하기

◎ 분모가 다른 진분수의 뺄셈

· $\dfrac{3}{4} - \dfrac{1}{6}$ 의 계산

방법1 두 분모의 곱을 공통분모로 하여 통분한 후 계산하기

$$\frac{3}{4} - \frac{1}{6} = \frac{3 \times 6}{4 \times 6} - \frac{1 \times 4}{6 \times 4} = \frac{18}{24} - \frac{4}{24} = \frac{14}{24} = \frac{❶}{12}$$

약분하기

방법2 두 분모의 최소공배수를 공통분모로 하여 통분한 후 계산하기

$$\frac{3}{4} - \frac{1}{6} = \frac{3 \times 3}{4 \times 3} - \frac{1 \times 2}{6 \times 2} = \frac{9}{12} - \frac{❷}{12} = \frac{❸}{12}$$

분모가 다른 분수의
뺄셈은 두 분수를 통분한 후
계산해 봐요.

➡ 정답 ❶ 7 ❷ 2 ❸ 7

5

분수의 덧셈과 뺄셈

1 $\dfrac{5}{6} - \dfrac{1}{3}$ 을 그림을 이용하여 통분한 후 계산해 보려고 합니다. $\dfrac{5}{6}$ 와 $\dfrac{1}{3}$ 을 각각 그림에 색칠하고 □ 안에 알맞은 수를 써넣으세요.

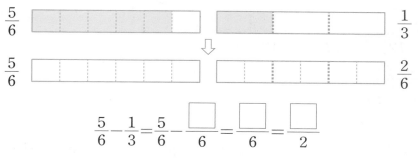

$\dfrac{5}{6}$　　　　　　　$\dfrac{1}{3}$

$\dfrac{5}{6}$　　　　　　　$\dfrac{2}{6}$

$$\frac{5}{6} - \frac{1}{3} = \frac{5}{6} - \frac{\square}{6} = \frac{\square}{6} = \frac{\square}{2}$$

2 $\dfrac{7}{8} - \dfrac{5}{12}$ 를 두 가지 방법으로 계산해 보세요.

방법1 $$\frac{7}{8} - \frac{5}{12} = \frac{7 \times 12}{8 \times 12} - \frac{5 \times \square}{12 \times 8} = \frac{84}{96} - \frac{\square}{96} = \frac{\square}{96} = \frac{\square}{24}$$

약분하여 기약분수로 나타냅니다.

방법2 $$\frac{7}{8} - \frac{5}{12} = \frac{7 \times 3}{8 \times 3} - \frac{5 \times \square}{12 \times 2} = \frac{21}{24} - \frac{\square}{24} = \frac{\square}{24}$$

[3~4] 계산해 보세요.

3 $\dfrac{1}{2} - \dfrac{3}{7}$

4 $\dfrac{7}{9} - \dfrac{5}{27}$

두 분모의 곱이나 두 분모의
최소공배수를 공통분모로
하여 통분한 후 계산해요.

분모가 다른 대분수의 덧셈

[01~02] □ 안에 알맞은 수를 써넣으세요.

01 $1\dfrac{1}{2}+1\dfrac{2}{3}=1\dfrac{\boxed{}}{6}+1\dfrac{\boxed{}}{6}$

$=(1+1)+\left(\dfrac{\boxed{}}{6}+\dfrac{\boxed{}}{6}\right)$

$=2+1\dfrac{\boxed{}}{6}=\boxed{}\dfrac{\boxed{}}{6}$

02 $1\dfrac{5}{6}+2\dfrac{1}{4}=\dfrac{\boxed{}}{6}+\dfrac{\boxed{}}{4}$

$=\dfrac{\boxed{}}{12}+\dfrac{\boxed{}}{12}=\dfrac{\boxed{}}{12}$

$=\boxed{}\dfrac{\boxed{}}{12}$

[03~08] 계산해 보세요.

03 $1\dfrac{3}{7}+1\dfrac{2}{3}$

04 $2\dfrac{1}{2}+1\dfrac{4}{5}$

05 $2\dfrac{7}{9}+1\dfrac{3}{4}$

06 $2\dfrac{2}{5}+2\dfrac{3}{4}$

07 $2\dfrac{3}{4}+1\dfrac{5}{7}$

08 $1\dfrac{3}{8}+1\dfrac{8}{9}$

[09~10] 두 분수의 합을 구하세요.

09 $\boxed{\quad 2\dfrac{1}{2} \qquad 3\dfrac{3}{4} \quad}$

(   )

10 $\boxed{\quad 1\dfrac{3}{4} \qquad 1\dfrac{5}{6} \quad}$

(   )

분모가 다른 진분수의 뺄셈

[11~12] □ 안에 알맞은 수를 써넣으세요.

11 $\dfrac{6}{7} - \dfrac{1}{5} = \dfrac{6 \times \boxed{}}{7 \times 5} - \dfrac{1 \times 7}{5 \times 7}$

$= \dfrac{\boxed{}}{35} - \dfrac{\boxed{}}{35}$

$= \dfrac{\boxed{}}{35}$

12 $\dfrac{11}{12} - \dfrac{3}{8} = \dfrac{11 \times \boxed{}}{12 \times 2} - \dfrac{3 \times \boxed{}}{8 \times 3}$

$= \dfrac{\boxed{}}{24} - \dfrac{\boxed{}}{24}$

$= \dfrac{\boxed{}}{24}$

[13~18] 계산해 보세요.

13 $\dfrac{3}{4} - \dfrac{3}{8}$

14 $\dfrac{5}{7} - \dfrac{1}{2}$

15 $\dfrac{7}{12} - \dfrac{1}{4}$

16 $\dfrac{5}{6} - \dfrac{2}{9}$

17 $\dfrac{9}{10} - \dfrac{3}{20}$

18 $\dfrac{11}{12} - \dfrac{5}{9}$

[19~20] 두 분수의 차를 구하세요.

19 $\boxed{\quad \dfrac{5}{6} \qquad \dfrac{1}{8} \quad}$

(   )

20 $\boxed{\quad \dfrac{3}{10} \qquad \dfrac{14}{15} \quad}$

(   )

5

분수의 덧셈과 뺄셈

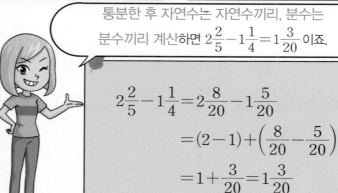

통분한 후 자연수는 자연수끼리, 분수는 분수끼리 계산하면 $2\frac{2}{5}-1\frac{1}{4}=1\frac{3}{20}$ 이죠.

$$2\frac{2}{5}-1\frac{1}{4}=2\frac{8}{20}-1\frac{5}{20}$$
$$=(2-1)+\left(\frac{8}{20}-\frac{5}{20}\right)$$
$$=1+\frac{3}{20}=1\frac{3}{20}$$

◎ **분모가 다른 대분수의 뺄셈** (1) — 받아내림이 없는 계산

• $2\frac{2}{5}-1\frac{1}{4}$ 의 계산

방법1 통분한 후 자연수는 자연수끼리, 분수는 분수끼리 계산하기

$$2\frac{2}{5}-1\frac{1}{4}=2\frac{8}{20}-1\frac{5}{20}=(2-1)+\left(\frac{8}{20}-\frac{5}{20}\right)$$

$$=1+\frac{\boxed{❶}}{20}=1\frac{\boxed{❷}}{20}$$

방법2 대분수를 가분수로 나타내어 통분한 후 계산하기

$$2\frac{2}{5}-1\frac{1}{4}=\frac{12}{5}-\frac{5}{4}=\frac{48}{20}-\frac{25}{20}=\frac{\boxed{❸}}{20}=1\frac{\boxed{❹}}{20}$$

두 분모의 곱이나 최소공배수로 통분한 후 계산해요.

↪ 정답 ❶ 3 ❷ 3 ❸ 23 ❹ 3

1 $2\frac{3}{4}-1\frac{1}{2}$ 을 2가지 방법으로 계산해 보세요.

방법1 $2\frac{3}{4}-1\frac{1}{2}=2\frac{3}{4}-1\frac{\boxed{}}{4}=(2-1)+\left(\frac{3}{4}-\frac{\boxed{}}{4}\right)=1+\frac{\boxed{}}{4}=\boxed{}\frac{\boxed{}}{4}$

방법2 $2\frac{3}{4}-1\frac{1}{2}=\frac{11}{4}-\frac{3}{2}=\frac{11}{4}-\frac{\boxed{}}{4}=\frac{\boxed{}}{4}=\boxed{}\frac{\boxed{}}{4}$

2 **보기** 와 같이 대분수를 가분수로 나타내어 계산해 보세요.

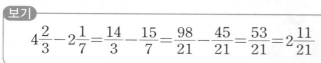

보기
$$4\frac{2}{3}-2\frac{1}{7}=\frac{14}{3}-\frac{15}{7}=\frac{98}{21}-\frac{45}{21}=\frac{53}{21}=2\frac{11}{21}$$

$3\frac{3}{5}-1\frac{1}{6}$

대분수를 가분수로 나타내어 통분한 후 계산해 봐요.

[3~4] 계산해 보세요.

3 $1\frac{9}{10}-1\frac{3}{5}$

4 $3\frac{5}{7}-2\frac{5}{9}$

우 아 아

누나만 먼저 도망가면 어떡해요.

먼저 도망간 게 아니라 위험한지 내가 미리 살펴보려고 한 거야.

철!

뜨헉!

뿅~

거기 서라!!

아악! 어떡하지? 우릴 쫓아오고 있어.

무슨 방법이 있을 거예요.

곧 두 갈림길이 나옵니다.

안!

곧 두 갈림길이 나온다고?

분수의 뺄셈을 계산하여 답이 적힌 쪽으로 가시오.

분수의 뺄셈을 계산하고 답이 적힌 길로 가면 되겠다.

$2\frac{1}{4}-1\frac{1}{2}$을 계산해야 하잖아.

대분수를 가분수로 나타내어 통분한 후 계산하면 $2\frac{1}{4}-1\frac{1}{2}=\frac{3}{4}$ 이지.

$$2\frac{1}{4}-1\frac{1}{2}=\frac{9}{4}-\frac{3}{2}=\frac{9}{4}-\frac{6}{4}$$
$$=\frac{3}{4}$$

◎ **분모가 다른 대분수의 뺄셈** (2) ― 받아내림이 있는 계산

• $2\frac{1}{4} - 1\frac{1}{2}$ 의 계산

[방법1] 통분한 후 자연수는 자연수끼리, 분수는 분수끼리 계산하기

$$2\frac{1}{4} - 1\frac{1}{2} = 2\frac{1}{4} - 1\frac{2}{4} = 1\frac{5}{4} - 1\frac{2}{4}$$

$$= (1-1) + \left(\frac{5}{4} - \frac{2}{4}\right) = \frac{\boxed{❶}}{4}$$

[방법2] 대분수를 가분수로 나타내어 통분한 후 계산하기

$$2\frac{1}{4} - 1\frac{1}{2} = \frac{9}{4} - \frac{3}{2} = \frac{9}{4} - \frac{6}{4} = \frac{\boxed{❷}}{4}$$

[방법1] 의 분수끼리 계산할 때 $\frac{1}{4}$에서 $\frac{2}{4}$를 뺄 수 없으므로 자연수 부분에서 1을 받아내림하여 계산해요.

➡ 정답 ❶ 3 ❷ 3

5

분수의 덧셈과 뺄셈

1 $2\frac{1}{3} - 1\frac{1}{2}$ 을 2가지 방법으로 계산해 보세요.

[방법1] $2\frac{1}{3} - 1\frac{1}{2} = 2\frac{2}{6} - 1\frac{3}{6} = 1\frac{\boxed{}}{6} - 1\frac{3}{6} = (1-1) + \left(\frac{\boxed{}}{6} - \frac{\boxed{}}{6}\right) = \frac{\boxed{}}{6}$

[방법2] $2\frac{1}{3} - 1\frac{1}{2} = \frac{7}{3} - \frac{\boxed{}}{2} = \frac{14}{6} - \frac{\boxed{}}{6} = \frac{\boxed{}}{6}$

[2~5] 계산해 보세요.

2 $4\frac{1}{3} - 1\frac{2}{5}$

3 $7\frac{1}{10} - 3\frac{3}{4}$

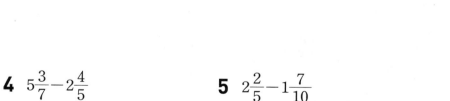

자연수는 자연수끼리 분수는 분수끼리 계산하거나~.

대분수를 가분수로 나타내어 계산해요.

4 $5\frac{3}{7} - 2\frac{4}{5}$

5 $2\frac{2}{5} - 1\frac{7}{10}$

분모가 다른 대분수의 뺄셈 (1)

[01~02] ☐ 안에 알맞은 수를 써넣으세요.

01

$$2\frac{4}{5}-1\frac{3}{10}=2\frac{\boxed{}}{10}-1\frac{\boxed{}}{10}$$

$$=(2-1)+\left(\frac{\boxed{}}{10}-\frac{3}{10}\right)$$

$$=1+\frac{\boxed{}}{10}$$

$$=\boxed{}\frac{\boxed{}}{10}=\boxed{}\frac{\boxed{}}{2}$$

02

$$2\frac{2}{3}-1\frac{1}{4}=\frac{8}{3}-\frac{\boxed{}}{4}=\frac{32}{12}-\frac{\boxed{}}{12}$$

$$=\frac{\boxed{}}{12}=\boxed{}\frac{\boxed{}}{12}$$

[03~08] 계산해 보세요.

03 $4\frac{1}{2}-1\frac{2}{7}$

04 $3\frac{5}{6}-2\frac{1}{2}$

05 $2\frac{4}{7}-1\frac{1}{5}$

06 $4\frac{5}{8}-3\frac{1}{6}$

07 $5\frac{8}{9}-2\frac{5}{6}$

08 $3\frac{1}{3}-1\frac{1}{7}$

[09~10] 빈칸에 알맞은 수를 써넣으세요.

09

$$2\frac{7}{10}\ominus1\frac{1}{4}=\boxed{}$$

10

$$4\frac{11}{15}\ominus1\frac{3}{5}=\boxed{}$$

분모가 다른 대분수의 뺄셈 (2)

[11~12] □ 안에 알맞은 수를 써넣으세요.

11 $4\dfrac{1}{5} - 2\dfrac{2}{3} = 4\dfrac{3}{15} - 2\dfrac{\boxed{}}{15}$

$$= 3\dfrac{18}{15} - 2\dfrac{\boxed{}}{15}$$

$$= (3-2) + \left(\dfrac{18}{15} - \dfrac{\boxed{}}{15}\right)$$

$$= 1 + \dfrac{\boxed{}}{15} = \boxed{}\dfrac{\boxed{}}{15}$$

12 $2\dfrac{5}{8} - 1\dfrac{4}{5} = \dfrac{\boxed{}}{8} - \dfrac{\boxed{}}{5}$

$$= \dfrac{\boxed{}}{40} - \dfrac{\boxed{}}{40}$$

$$= \dfrac{\boxed{}}{40}$$

[13~18] 계산해 보세요.

13 $4\dfrac{9}{20} - 1\dfrac{7}{8}$

14 $5\dfrac{1}{5} - 2\dfrac{3}{4}$

15 $4\dfrac{1}{8} - 2\dfrac{2}{3}$

16 $3\dfrac{1}{3} - 1\dfrac{4}{7}$

17 $2\dfrac{1}{5} - 1\dfrac{9}{10}$

18 $4\dfrac{1}{3} - 2\dfrac{3}{4}$

[19~20] 빈칸에 알맞은 수를 써넣으세요.

19
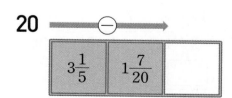

20

| $3\dfrac{1}{5}$ | $1\dfrac{7}{20}$ | |

5

분수의 덧셈과 뺄셈

01 $\frac{1}{4}$과 $\frac{3}{8}$을 각각 그림에 색칠하고, $\frac{1}{4}+\frac{3}{8}$을 계산해 보세요.

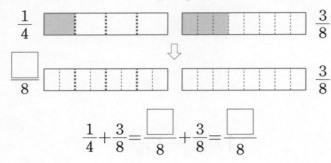

$$\frac{1}{4}+\frac{3}{8}=\frac{\boxed{}}{8}+\frac{3}{8}=\frac{\boxed{}}{8}$$

Tip

$\frac{1}{4}+\frac{3}{8}$을 그림을 이용하여 통분한 후 계산해 봐요.

02 $\frac{5}{6}$와 $\frac{1}{2}$을 각각 그림에 색칠하고 $\frac{5}{6}-\frac{1}{2}$을 계산해 보세요.

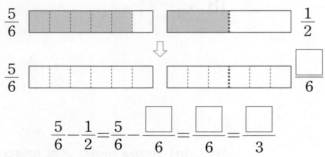

$$\frac{5}{6}-\frac{1}{2}=\frac{5}{6}-\frac{\boxed{}}{6}=\frac{\boxed{}}{6}=\frac{\boxed{}}{3}$$

03 ☐ 안에 알맞은 수를 써넣으세요.

(1) $\dfrac{2}{5}+\dfrac{8}{15}=\dfrac{2\times\boxed{}}{5\times 3}+\dfrac{8}{15}=\dfrac{\boxed{}}{15}+\dfrac{\boxed{}}{15}=\dfrac{\boxed{}}{15}$

(2) $\dfrac{4}{9}+\dfrac{7}{12}=\dfrac{4\times\boxed{}}{9\times 4}+\dfrac{7\times\boxed{}}{12\times 3}=\dfrac{\boxed{}}{36}+\dfrac{\boxed{}}{36}$

$=\dfrac{\boxed{}}{36}=\boxed{}\dfrac{\boxed{}}{36}$

• 두 분모의 최소공배수를 공통 분모로 하여 통분한 후 계산 합니다.

04 계산해 보세요.

(1) $4\dfrac{5}{6}+2\dfrac{4}{9}$

(2) $3\dfrac{4}{7}+2\dfrac{11}{14}$

(3) $4\dfrac{5}{9}-3\dfrac{5}{6}$

(4) $3\dfrac{1}{7}-1\dfrac{9}{14}$

Tip

• 분모를 통분한 후 자연수는 자연수끼리, 분수는 분수끼리 계산하거나 대분수를 가분수로 나타내어 통분한 후 계산해 봅니다.

5

분수의 덧셈과 뺄셈

05 보기 와 같이 계산해 보세요.

(1) 보기

$$\dfrac{3}{8}+\dfrac{1}{3}=\dfrac{3\times 3}{8\times 3}+\dfrac{1\times 8}{3\times 8}=\dfrac{9}{24}+\dfrac{8}{24}=\dfrac{17}{24}$$

$\dfrac{5}{9}+\dfrac{1}{4}=$ _____

(2) 보기

$$3\dfrac{5}{8}-1\dfrac{5}{12}=\dfrac{29}{8}-\dfrac{17}{12}=\dfrac{87}{24}-\dfrac{34}{24}=\dfrac{53}{24}=2\dfrac{5}{24}$$

$4\dfrac{5}{6}-1\dfrac{1}{4}=$ _____

• (1) 두 분모의 곱을 공통분모로 하여 통분한 후 계산합니다.
 (2) 대분수를 가분수로 나타내어 통분한 후 계산합니다.

06 값이 같은 것끼리 이으세요.

$\dfrac{5}{6}+\dfrac{3}{4}$ •	• $1\dfrac{19}{24}$
$\dfrac{7}{12}+\dfrac{5}{6}$ •	• $1\dfrac{7}{12}$
$\dfrac{7}{8}+\dfrac{11}{12}$ •	• $1\dfrac{5}{12}$

두 분모의 최소공배수를 공통분모로 하여 통분하면 더 간단히 계산할 수 있어요.

07 $2\frac{3}{5}+2\frac{4}{7}$ 를 두 가지 방법으로 계산해 보세요.

방법1 자연수는 자연수끼리, 분수는 분수끼리 계산하기

$2\frac{3}{5}+2\frac{4}{7}=$ _____

방법2 대분수를 가분수로 나타내어 계산하기

$2\frac{3}{5}+2\frac{4}{7}=$ _____

08 계산 결과를 비교하여 ○ 안에 >, =, <를 알맞게 써넣으세요.

$$\frac{13}{15}-\frac{4}{9}$$ $$\frac{11}{15}-\frac{1}{3}$$

분모가 다른 진분수를 통분하여 계산하고 계산 결과를 비교해요.

09 $4\frac{3}{5}-1\frac{1}{3}$ 을 두 가지 방법으로 계산해 보세요.

방법1 자연수는 자연수끼리, 분수는 분수끼리 계산하기

$4\frac{3}{5}-1\frac{1}{3}=$ _____

방법2 대분수를 가분수로 나타내어 계산하기

$4\frac{3}{5}-1\frac{1}{3}=$ _____

• 방법1 과 같이 자연수는 자연수끼리, 분수는 분수끼리 계산하면 분수 부분의 계산이 쉽습니다.

10 $3\frac{1}{4} - 2\frac{2}{3}$ 를 보기 와 같이 계산해 보세요.

보기

방법1 $4\frac{1}{5} - 3\frac{1}{3} = 4\frac{3}{15} - 3\frac{5}{15} = 3\frac{18}{15} - 3\frac{5}{15} = \frac{13}{15}$

방법2 $4\frac{1}{5} - 3\frac{1}{3} = \frac{21}{5} - \frac{10}{3} = \frac{63}{15} - \frac{50}{15} = \frac{13}{15}$

방법1 _____

방법2 _____

11 영준이는 주말 농장에서 딸기를 $\frac{7}{8}$ kg, 방울토마토를 $\frac{7}{10}$ kg 땄습니다. 영준이가 딴 딸기와 방울토마토의 무게는 모두 몇 kg인지 구하세요.

(   )

12 케이크를 만들기 위해 필요한 우유는 $4\frac{3}{5}$ 컵입니다. 현재 미소가 가지고 있는 우유는 $1\frac{1}{6}$ 컵입니다. 우유는 몇 컵 더 필요한지 구하세요.

(   )

Tip

· 방법1 은 통분한 후 자연수는 자연수끼리, 분수는 분수끼리 계산하고 방법2 는 대분수를 가분수로 나타내어 통분한 후 계산합니다.

딸기 $\frac{7}{8}$ kg과 방울토마토 $\frac{7}{10}$ kg을 더해 대분수로 나타내요.

· (더 필요한 우유의 양) $=\left(4\frac{3}{5} - 1\frac{1}{6}\right)$컵

01 그림을 보고 □ 안에 알맞은 수를 써넣으세요.

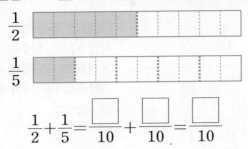

$$\frac{1}{2}+\frac{1}{5}=\frac{\boxed{}}{10}+\frac{\boxed{}}{10}=\frac{\boxed{}}{10}$$

04 □ 안에 알맞은 수를 써넣으세요.

$$1\frac{3}{5}+2\frac{3}{4}=1\frac{\boxed{}}{20}+2\frac{\boxed{}}{20}$$

$$=(1+\boxed{})+\left(\frac{\boxed{}}{20}+\frac{\boxed{}}{20}\right)$$

$$=3+\frac{\boxed{}}{20}=\boxed{}\frac{\boxed{}}{20}$$

[02~03] $\frac{5}{8}+\frac{1}{6}$ 을 두 가지 방법으로 계산하려고 합니다. □ 안에 알맞은 수를 써넣으세요.

02 두 분모 8과 6의 곱을 이용하여 통분한 후 계산해 보세요.

$$\frac{5}{8}+\frac{1}{6}=\frac{5\times\boxed{}}{8\times6}+\frac{1\times\boxed{}}{6\times8}$$

$$=\frac{\boxed{}}{48}+\frac{\boxed{}}{48}=\frac{\boxed{}}{48}=\frac{\boxed{}}{24}$$

03 두 분모 8과 6의 최소공배수를 이용하여 통분한 후 계산해 보세요.

$$\frac{5}{8}+\frac{1}{6}=\frac{5\times\boxed{}}{8\times3}+\frac{1\times\boxed{}}{6\times\boxed{}}$$

$$=\frac{\boxed{}}{24}+\frac{\boxed{}}{24}=\frac{\boxed{}}{24}$$

05 다음 분수의 덧셈을 할 때, 공통분모로 알맞은 것은 어느 것일까요? ·················· (　　　)

$$\frac{11}{12}+\frac{4}{9}$$

① 9　　　② 32　　　③ 18

④ 36　　　⑤ 48

[06~07] 계산해 보세요.

06 $\frac{2}{9}+\frac{3}{4}$

07 $\frac{5}{7}-\frac{3}{5}$

08 보기 와 같이 계산해 보세요.

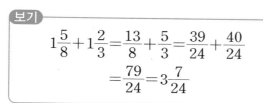

보기
$$1\frac{5}{8}+1\frac{2}{3}=\frac{13}{8}+\frac{5}{3}=\frac{39}{24}+\frac{40}{24}$$
$$=\frac{79}{24}=3\frac{7}{24}$$

$1\frac{3}{4}+1\frac{5}{6}$

09 빈칸에 알맞은 분수를 써넣으세요.

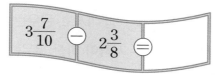

$3\frac{7}{10}$ ⊖ $2\frac{3}{8}$ ⊜

10 합이 1보다 큰 것을 찾아 ○표 하세요.

$\frac{3}{8}+\frac{2}{7}$ $\frac{2}{3}+\frac{2}{5}$

(   )   (   )

11 빈칸에 두 분수의 차를 써넣으세요.

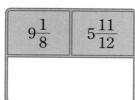

$9\frac{1}{8}$ $5\frac{11}{12}$

12 값이 같은 것끼리 선으로 이으세요.

$\frac{5}{6}+\frac{7}{9}$ •

$\frac{9}{14}+\frac{3}{4}$ •

• $1\frac{11}{18}$

• $1\frac{5}{54}$

• $1\frac{11}{28}$

13 크기를 비교하여 ○ 안에 >, =, <를 알맞게 써넣으세요.

$4\frac{1}{4}+2\frac{2}{3}$ ○ $6\frac{5}{12}$

14 빈칸에 알맞은 분수를 써넣으세요.

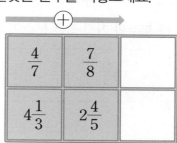

⊕

| $\frac{4}{7}$ | $\frac{7}{8}$ | |
| $4\frac{1}{3}$ | $2\frac{4}{5}$ | |

5

분수의 덧셈과 뺄셈

15 다음이 나타내는 수를 구하세요.

$$1\frac{16}{21} \text{ 보다 } \frac{9}{14} \text{ 큰 수}$$

(   )

16 그림을 보고 가에서 다까지의 거리는 몇 m인지 구하세요.

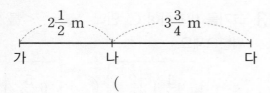

(   )

17 가장 큰 분수와 가장 작은 분수의 차를 구하세요.

$$4\frac{2}{3} \qquad 6\frac{1}{5} \qquad 1\frac{3}{4}$$

(   )

18 꽃 모양을 만드는 데 리본을 민주는 $20\frac{4}{5}$ cm, 수빈이는 $23\frac{6}{7}$ cm 사용하였습니다. 수빈이는 민주보다 리본을 몇 cm 더 많이 사용하였을까요?

식 _____

답 _____

19 유리는 우유를 $\frac{5}{9}$ 컵 마시고, 은우는 우유를 $\frac{5}{7}$ 컵 마셨습니다. 두 사람이 마신 우유는 모두 몇 컵일까요?

(   )

20 영은이와 수혁이는 각자 가지고 있는 수 카드를 한 번씩만 사용하여 가장 작은 대분수를 만들려고 합니다. 두 사람이 만들 수 있는 가장 작은 대분수의 합을 구하세요.

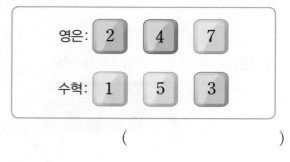

(   )

스스로 학습장

스스로 학습장은 이 단원에서 배운 것을 확인하는 코너입니다.
몰랐던 것은 꼭 다시 공부해서 내 것으로 만들어 보아요.

• 스피드 정답표 12쪽, 정답 42쪽

❈ 예지가 본 쪽지 시험입니다. 맞은 문제는 ○표, 틀린 문제는 /표 하고 바르게 고쳐 보세요.

쪽지 시험		이름	김예지
분수의 덧셈과 뺄셈			

❈ 계산해 보세요.

1 $\frac{1}{4} + \frac{1}{8} = \frac{3}{8}$

2 $\frac{7}{9} + \frac{11}{18} = \frac{18}{27}$ $1\frac{7}{18}$

3 $1\frac{1}{4} + 2\frac{1}{6} = 3\frac{5}{12}$

4 $2\frac{5}{9} + 3\frac{7}{8} = 6\frac{31}{72}$

5 $\frac{7}{12} - \frac{2}{9} = \frac{5}{12}$

6 $4\frac{4}{5} - 1\frac{1}{9} = 3\frac{31}{45}$

7 $5\frac{1}{8} - 2\frac{1}{6} = 2\frac{23}{24}$

8 $4\frac{11}{15} - 2\frac{29}{30} = 2\frac{23}{30}$

5

분수의 덧셈과 뺄셈

6

다각형의 둘레와 넓이

QR 코드를 찍으면
6단원 개념 동영상
강의를 볼 수 있어요.

이번에 배울 내용

- 정다각형, 사각형의 둘레 구하기
- 1 cm² 알아보기
- 직사각형의 넓이 구하기
- 1 cm²보다 더 큰 넓이의 단위 알아보기
- 평행사변형, 삼각형, 마름모, 사다리꼴의 넓이 구하기

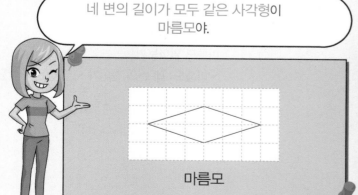

준비 학습

1 서로 수직인 변이 있는 도형을 모두 찾아 기호를 쓰세요.

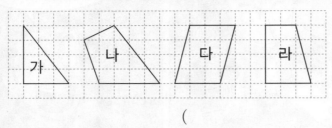

(   )

[2~3] 사각형을 보고 물음에 답하세요.

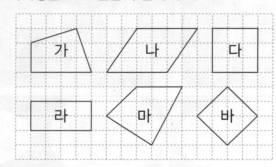

2 평행사변형을 모두 찾아 기호를 쓰세요.

(   )

3 마름모를 모두 찾아 기호를 쓰세요.

(   )

개념 체크 **1** ◀ 4학년 2학기 4단원

수직 알아보기

- 두 직선이 만나서 이루는 각이 직각일 때,
  두 직선은 서로 수직이라고 합니다.

개념 체크 **2** ◀ 4학년 2학기 4단원

평행사변형 알아보기

- 평행사변형: 마주 보는 두 쌍의 변이 서로
  평행한 사각형

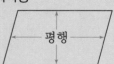

개념 체크 **3** ◀ 4학년 2학기 4단원

마름모 알아보기

- 마름모: 네 변의 길이가 모두 같은 사각형

• 스피드 정답표 13쪽, 정답 43쪽 ⬤월 ⬤일

4 ☐ 안에 알맞은 수를 써넣으세요.

(1) 이등변삼각형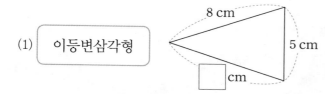

(2) 정삼각형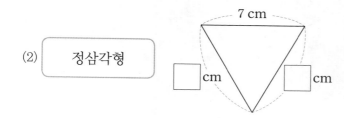

5 평행사변형입니다. ☐ 안에 알맞은 수를 써넣으세요.

(1)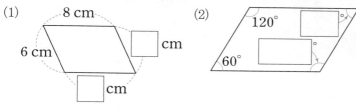

(2)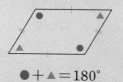

6 평행선 사이의 거리는 몇 cm인지 자로 재어 보세요.

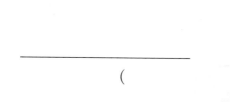

(   )

개념 체크 ④ ◀ 4학년 2학기 2단원

이등변삼각형과 정삼각형 알아보기

• 이등변삼각형: 두 변의 길이가 같은 삼각형

• 정삼각형: 세 변의 길이가 같은 삼각형

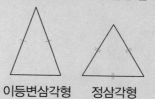

이등변삼각형   정삼각형

개념 체크 ⑤ ◀ 4학년 2학기 4단원

평행사변형의 성질

• 마주 보는 두 변의 길이가 같습니다.

• 마주 보는 두 각의 크기가 같습니다.

• 이웃한 두 각의 크기의 합이 180°입니다.

●＋▲＝180°

개념 체크 ⑥ ◀ 4학년 2학기 4단원

평행선 사이의 거리

• 평행선 사이의 거리: 평행선의 한 직선에서 다른 직선에 그은 수선의 길이

←평행선 사이의 거리

6

다각형의 둘레와 넓이

와! 탈출했다!

이제 얼른 핀손 아저씨를 찾으러 가요.

아~ 그렇지.

재! 그럼 핀손의 보물 찾기를 방해하러 가볼까?

네!

이 쪽이다

다 다 다 다

10분 후

수호야, 아저씨가 좀 힘드신가 본데…….

그러게

얘들아, 무… 물 좀 줘.

여긴 물이 없는데……. 어쩌지?

아! 아까 찾은 지도를 보자.

아! 여기 보니 이 근처에 물이 나오는 곳이 있대. 찾아보자.

여기 찾았어요.

이건 어떻게 해야 물이 나오지?

잠깐!

한 변의 길이가 3 cm인 정오각형 모양 단추의 둘레를 구한 다음 그 단추를 누르면 된대.

제가 해 볼게요.

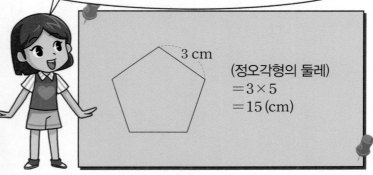

정오각형의 둘레는 한 변의 길이와 변의 수를 곱해 구하니까 $3 \times 5 = 15$ (cm)예요.

3 cm

(정오각형의 둘레)
$= 3 \times 5$
$= 15$ (cm)

개념 클릭

• 스피드 정답표 13쪽, 정답 43쪽   월   일

◎ 정다각형의 둘레

• 정오각형의 둘레 구하기

3 cm

한 변의 길이 ←┐ ┌→ 변의 수
(정오각형의 둘레)= 3 × 5
                = ❶ □ (cm)

(정다각형의 둘레)=(한 변의 길이)×(변의 수)

정다각형은 변의 길이가 모두 같아요.

❶ 정답 ❶ 15

---

1 정육각형의 둘레를 구하려고 합니다. □ 안에 알맞은 수를 써넣으세요.

5 cm

(정육각형의 둘레)= 5 × □
               = □ (cm)

정육각형은 6개의 변의 길이가 모두 같아요.

[2~5] 정다각형의 둘레는 몇 cm인지 구하세요.

2
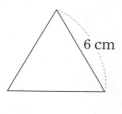
6 cm

(   )

3
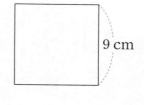
9 cm

(   )

4
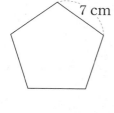
7 cm

(   )

5
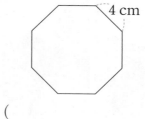
4 cm

(   )

6
다각형의 둘레와 넓이

훗! 이제 이 문만 열면 보물이 있겠지?

아! 여기 문을 여는 방법이 적혀 있군. 거기에 직사각형 모양의 버튼이 있나?

휘리리

네~ 가로가 5 cm, 세로가 3 cm인 직사각형 모양이에요.

그럼 그 직사각형의 둘레를 구해봐.

직사각형의 둘레는 가로와 세로의 합을 2배 하여 구하면 되니까 (5+3)×2=16 (cm)예요.

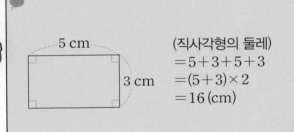

5 cm

3 cm

(직사각형의 둘레)
=5+3+5+3
=(5+3)×2
=16 (cm)

으하하~ 이제 보물은 모두 내 것이다.

혼자서만 보물을 다 가지려는 건가?

설마~. 아니겠지.

딸깍

헉!

뭐… 뭐야!

으악아악

아파…….

누가 단추를 눌렀어?

으!

윽!

잘못된 단추를 누가 누른 거야?

시치미~

선장님, 지금 그게 중요한 게 아니에요. 얼른 여기서 나가야 할 것 같아요.

갑자기 왜?

• 스피드 정답표 13쪽, 정답 43쪽

월 ◯ 일

◎ **사각형의 둘레**

• **직사각형의 둘레 구하기**

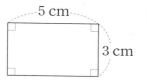

(직사각형의 둘레)$=5+3+5+3=(5+3)×2=\boxed{}^{❶}$ (cm)

$\boxed{\text{(직사각형의 둘레)}=((\text{가로})+(\text{세로}))×2}$

• **평행사변형의 둘레 구하기**

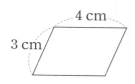

(평행사변형의 둘레)$=4+3+4+3=(4+3)×2=\boxed{}^{❷}$ (cm)

$\boxed{\text{(평행사변형의 둘레)}=((\text{한 변의 길이})+(\text{다른 한 변의 길이}))×2}$

• **마름모의 둘레 구하기**

(마름모의 둘레)$=3+3+3+3=3×4=12$ (cm)

$\boxed{\text{(마름모의 둘레)}=(\text{한 변의 길이})×4}$

➡ 정답 ❶ 16 ❷ 14

---

1 직사각형의 둘레를 구하려고 합니다. ☐ 안에 알맞은 수를 써넣으세요.

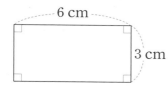

(직사각형의 둘레)$=(6+3)×\boxed{}=\boxed{}$ (cm)

[2～3] 평행사변형의 둘레는 몇 cm인지 구하세요.

2

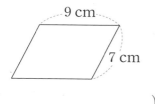

(   )

3

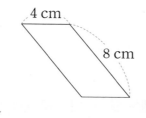

(   )

[4～5] 마름모의 둘레는 몇 cm인지 구하세요.

4

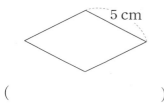

(   )

5

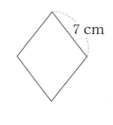

(   )

마름모는 네 변의 길이가 모두 같아요.

6
다각형의 둘레와 넓이

개념 집중 연습

정다각형의 둘레

01 정오각형의 둘레를 구하려고 합니다. □ 안에 알맞은 수를 써넣으세요.

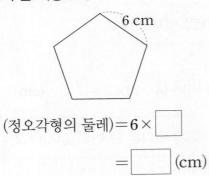

6 cm

(정오각형의 둘레)=6 × □

= □ (cm)

02 정팔각형의 둘레를 구하려고 합니다. □ 안에 알맞은 수를 써넣으세요.

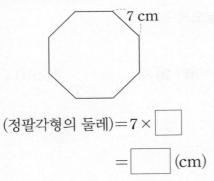

7 cm

(정팔각형의 둘레)=7 × □

= □ (cm)

[03~07] 정다각형의 둘레는 몇 cm인지 구하세요.

03

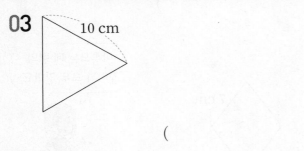

10 cm

(   )

04

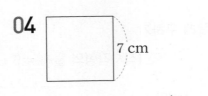

7 cm

(   )

05

11 cm

(   )

06

9 cm

(   )

07

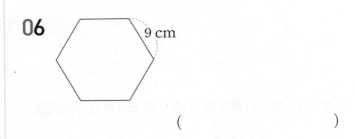

8 cm

(   )

사각형의 둘레

08 평행사변형의 둘레를 구하려고 합니다. ☐ 안에 알맞은 수를 써넣으세요.

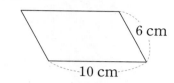

(평행사변형의 둘레)=(10+☐)×☐

= ☐ (cm)

09 마름모의 둘레를 구하려고 합니다. ☐ 안에 알맞은 수를 써넣으세요.

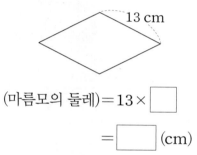

(마름모의 둘레)=13×☐

= ☐ (cm)

10 직사각형의 둘레를 구하려고 합니다. ☐ 안에 알맞은 수를 써넣으세요.

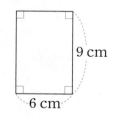

(직사각형의 둘레)=(6+☐)×☐

= ☐ (cm)

11 직사각형의 둘레는 몇 cm일까요?

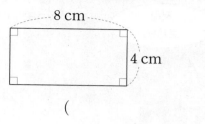

( )

12 마름모의 둘레는 몇 cm일까요?

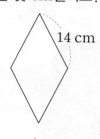

( )

[13～14] 평행사변형의 둘레는 몇 cm인지 구하세요.

13

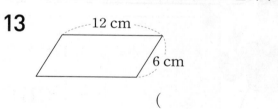

( )

14

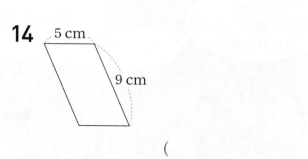

( )

6 다각형의 둘레와 넓이

6. 다각형의 둘레와 넓이 • **165**

저길 보세요.

헉!!

따… 땅이 또 갈라진다.

어떡해요?

쩌저적

여기 어딘가 멈추는 방법이 있을…… 여겼다!

얼른 바닥에 ×표가 표시된 곳을 찾아!

네, 저기 두 곳이 있어요.

쩌적

그 다음에……. 엥? 근데 이게 뭔지 알아?

1 cm²

아! 그건 넓이를 나타내는 단위예요.

그게 뭔데?

한 변의 길이가 1 cm인 정사각형의 넓이를 1 cm²라 쓰고 1 제곱센티미터라고 읽죠.

1 cm²: 한 변의 길이가 1 cm인 정사각형의 넓이

⇨ 쓰기: 1 cm^2
읽기: 1 제곱센티미터

×표가 표시된 곳 중 1 cm²가 9개인 넓이 위에 서라는데……

그럼, 넓이가 9 cm²인 여기에요.

← 여기

땅이 점점 무너져요. 얼른 선장님이 먼저 서 보세요.

내가?

선장님, 발가락에 힘을 꽉 주세요.

자, 우린 선장님 위로!

우르르르

뜨아

아

아

◎ **1 cm² 알아보기**

• 1 cm²: 한 변의 길이가 ⓐ 　cm인 정사각형의 넓이

⇨ ┌ 쓰기: $1\,cm^2$
　 └ 읽기: 1 제곱센티미터

1 cm
1 cm │ 1 cm²

1 cm × 1 cm ◄
= 1 (cm²)

넓이를 나타낼 때
넓이의 단위로
1 cm²를 사용해요.

○ 정답 ❶ 1

[1~2] 도형의 넓이는 몇 cm²인지 구하세요.

1 1 cm²

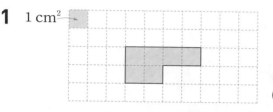

(　　　　　　　)

도형의 넓이를
어떻게 구해?

모눈종이 한 칸의
넓이가 1 cm²이니까
모눈종이가 몇 칸인지
세어 봐.

2 1 cm²

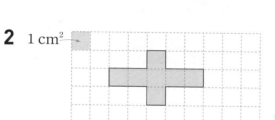

(　　　　　　　)

3 그림을 보고 물음에 답하세요.

1 cm²

(1) 직사각형 가, 나, 다, 라의 넓이는 각각 몇 cm²일까요?

가 (　　　　　　　), 나 (　　　　　　　)

다 (　　　　　　　), 라 (　　　　　　　)

(2) 넓이가 가장 큰 직사각형의 기호를 쓰세요.

(　　　　　　　)

발가락이 너무 아파!!

악

대체 언제까지 여기에 서 있어야 하는 거야?

책에 적힌 걸 찾아보세요.

힝~ 보물 찾으러 괜히 왔어!!

여기에 분명 방법이 적혀 있을 거야.

찾았다! 천장에 직사각형 모양의 버튼을 찾아.

찾았어요.

그 버튼의 넓이를 구해. 어서!

가로가 4 cm, 세로가 2 cm인 직사각형의 넓이요?

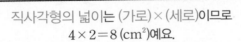

직사각형의 넓이는 (가로)×(세로)이므로
$4 \times 2 = 8 \ (\text{cm}^2)$예요.

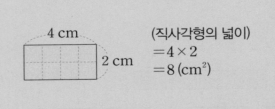

4 cm

2 cm

(직사각형의 넓이)
$= 4 \times 2$
$= 8 \ (\text{cm}^2)$

그럼 이제 버튼을 눌러!

눌렀어요.

앗 줄이 내려왔어요.

어서 그 줄을 잡아.

대 롱

대 롱

힝~ 나 집에 가고 싶어.

◎ 직사각형의 넓이

• 직사각형의 넓이 구하기

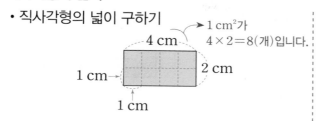

1 cm²가
4×2=8(개)입니다.

(직사각형의 넓이)=4×2= ❶ (cm²)

(직사각형의 넓이)=(가로)×(세로)

• 정사각형의 넓이 구하기

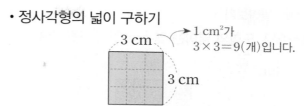

1 cm²가
3×3=9(개)입니다.

(정사각형의 넓이)=3×3= ❷ (cm²)

(정사각형의 넓이)
=(한 변의 길이)×(한 변의 길이)

◆ 정답 ❶ 8 ❷ 9

1 직사각형과 정사각형의 넓이를 구하려고 합니다. □ 안에 알맞은 수를 써넣으세요.

(1)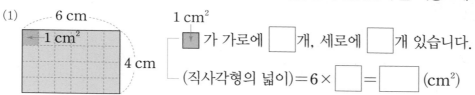

1 cm²
┌ ▢ 가 가로에 □ 개, 세로에 □ 개 있습니다.
└ (직사각형의 넓이)=6× □ = □ (cm²)

(2)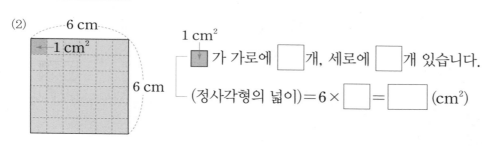

1 cm²
┌ ▢ 가 가로에 □ 개, 세로에 □ 개 있습니다.
└ (정사각형의 넓이)=6× □ = □ (cm²)

넓이가 1 cm²인 사각형이 가로, 세로에 각각 몇 개씩 놓여 있는지 알아 보고 넓이를 구해요.

6

다각형의 둘레와 넓이

[2~5] 직사각형과 정사각형의 넓이는 몇 cm²인지 구하세요.

2

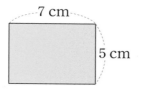
7 cm
5 cm

(   )

3

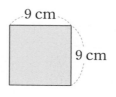
9 cm
9 cm

(   )

4

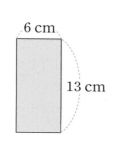
6 cm
13 cm

(   )

5

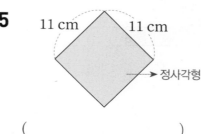
11 cm   11 cm
→ 정사각형

(   )

개념 집중 연습

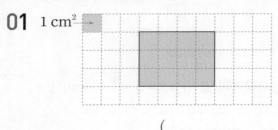

1 cm² 알아보기

[01~06] 도형의 넓이는 몇 cm²인지 구하세요.

01 1 cm²

(   )

02 1 cm²

(   )

03 1 cm²

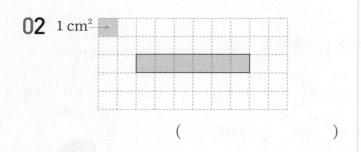

(   )

04 1 cm²

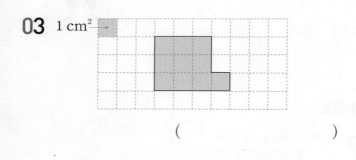

(   )

05 1 cm²

(   )

06 1 cm²

(   )

[07~08] 그림을 보고 물음에 답하세요.

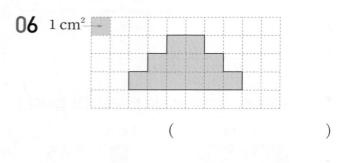

1 cm²

가   나

07 도형 가와 도형 나의 넓이를 각각 구하세요.

도형 가 (   )

도형 나 (   )

08 □ 안에 알맞은 수를 써넣으세요.

도형 가는 도형 나보다 넓이가 □ cm²
더 넓습니다.

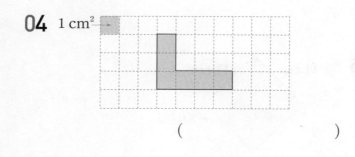

[09～12] 직사각형의 넓이를 구하려고 합니다.
□ 안에 알맞은 수를 써넣으세요.

09

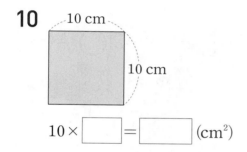

$8 × \boxed{} = \boxed{}$ (cm²)

10

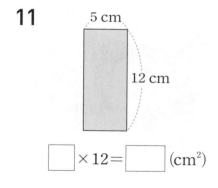

$10 × \boxed{} = \boxed{}$ (cm²)

11

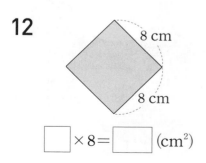

$\boxed{} × 12 = \boxed{}$ (cm²)

12

$\boxed{} × 8 = \boxed{}$ (cm²)

[13～16] 직사각형의 넓이는 몇 cm²인지 구하세요.

13

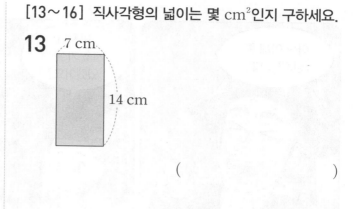

(   )

14

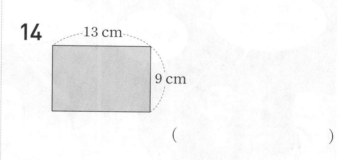

(   )

15

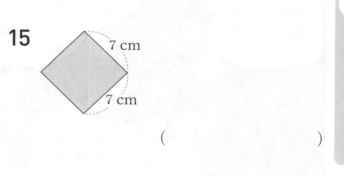

(   )

16

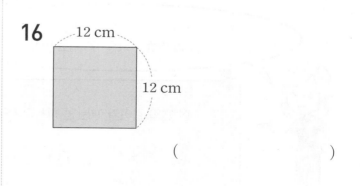

(   )

6

다각형의 둘레와 넓이

아~ 이제 좀 살 것 같다.

아저씨, 계속 가실 수 있겠어요?

그래서 좀 생각을 해 봤지!

우리가 굳이 핀손의 뒤를 따라갈 필요가 있을까?

그럼 어떡해요?

후훗! 함정을 만드는 거야.

함정이요?

핀손이 보물을 찾고 다시 배로 돌아가려면!

이 길을 지나갈 수밖에 없거든~.

아~

그래서 이 길에 함정을 만들어 놓는 거야!!

좋은 생각이에요.

자, 그럼 얼른 땅을 파서 함정을 만들자.

함정의 크기는요?

한 변의 길이가 1 m인 정사각형의 넓이만큼?

그게 뭐죠?

한 변의 길이가 1 m인 정사각형의 넓이를 1 m²라 하고 1 제곱미터라고 읽어.

1 m²: 한 변의 길이가 1 m인 정사각형의 넓이

⇨ 쓰기: **1 m²**

읽기: 1 제곱미터

휴~ 너무 힘들다.

헉! 아저씨, 대단하다.

그러게~

◎ 1 m², 1 km² **알아보기**

• 1 m²: 한 변의 길이가 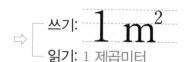 m인 정사각형의 넓이

⇨ 쓰기: 1 m²
　　읽기: 1 제곱미터

$$1 \text{ m}^2 = 10000 \text{ cm}^2$$

• 1 km²: 한 변의 길이가 1 km인 정사각형의 넓이

⇨ 쓰기: 1 km²
　　읽기: 1 제곱킬로미터

 km² = 1000000 m²

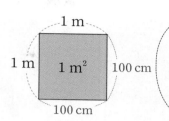

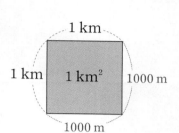

1 cm²는 작아서
큰 넓이를 잴 때
불편하기 때문에
1 m²와 1 km²가
필요해요.

❹ **정답** ❶ 1 ❷ 1

[1~4] □ 안에 알맞은 수를 써넣으세요.

1 60000 cm² = □ m²

2 2 km² = □ m²

3 37 m² = □ cm²

4 45000000 m² = □ km²

5 1 m²가 몇 번 들어가는지 □ 안에 알맞은 수를 써넣으세요.

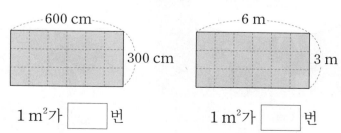

1 m²가 □ 번　　　　1 m²가 □ 번

600 cm = 6 m,
300 cm = 3 m이므로
두 직사각형은 넓이가
같아요.

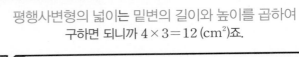

평행사변형의 넓이는 밑변의 길이와 높이를 곱하여 구하면 되니까 $4 \times 3 = 12\ (\text{cm}^2)$죠.

(평행사변형의 넓이)
$= 4 \times 3$
$= 12\ (\text{cm}^2)$

◎ **평행사변형의 넓이**

평행사변형에서 평행한 두 변을 **밑변**이라 하고, 두 밑변 사이의 거리를 **높이**라고 합니다.

(평행사변형의 넓이)$= 4 \times 3$

$= \boxed{①} \ (cm^2)$

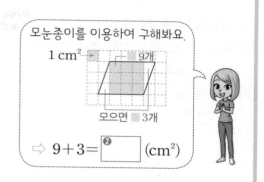

모눈종이를 이용하여 구해봐요.

$1\ cm^2$ 9개

모으면   3개

$\Rightarrow 9 + 3 = \boxed{②} \ (cm^2)$

$\boxed{(평행사변형의 넓이) = (밑변의 길이) \times (높이)}$

◎ 정답 ❶ 12 ❷ 12

---

1 $1\ cm^2$ 를 이용하여 평행사변형의 넓이를 구하려고 합니다. ☐ 안에 알맞은 수를 써넣으세요.

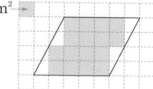

(1) 색칠한 부분에는 $1\ cm^2$ 가 ☐ 개, 색칠하지 않은 부분을 알맞게 옮겨 붙이면 $1\ cm^2$ ☐ 개의 넓이와 같습니다.

(2) 평행사변형의 넓이는 ☐ cm^2입니다.

2 모눈종이 한 칸의 길이가 1 cm일 때, 평행사변형의 높이는 몇 cm인지 각각 구하세요.

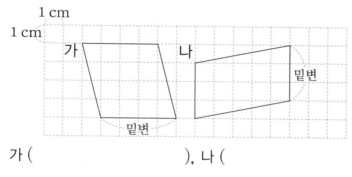

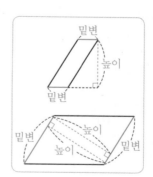

두 밑변에 수직인 선분이 높이예요.

가 (   ), 나 (   )

[3~5] 평행사변형의 넓이는 몇 cm^2인지 구하세요.

3

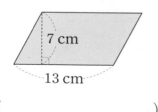

(   )

4

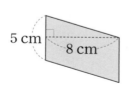

(   )

5

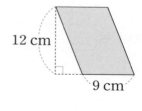

(   )

6

다각형의 둘레와 넓이

1 m², 1 km² 알아보기

[01～02] 주어진 넓이를 읽어 보세요.

01 | 4 m² |

(   )

02 | 5 km² |

(   )

[03～08] □ 안에 알맞은 수를 써넣으세요.

03 $3 \text{ m}^2 = \boxed{} \text{ cm}^2$

04 $70000 \text{ cm}^2 = \boxed{} \text{ m}^2$

05 $8 \text{ km}^2 = \boxed{} \text{ m}^2$

06 $5000000 \text{ m}^2 = \boxed{} \text{ km}^2$

07 $\boxed{} \text{ m}^2 = 150000 \text{ cm}^2$

08 $24 \text{ km}^2 = \boxed{} \text{ m}^2$

09 1 km²가 몇 번 들어가는지 □ 안에 알맞은 수를 써넣으세요.

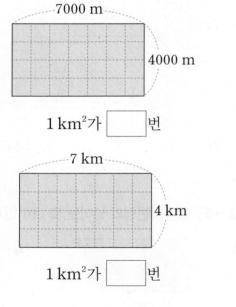

1 km²가 □ 번

1 km²가 □ 번

평행사변형의 넓이

[10~13] 보기와 같이 평행사변형의 높이를 표시해 보세요.

보기
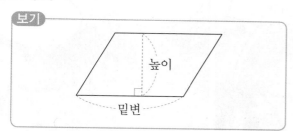

10
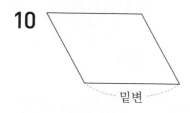

11
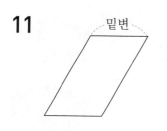

12
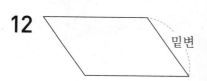

13
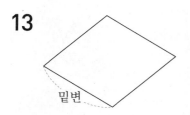

[14~17] 평행사변형의 넓이는 몇 cm²인지 구하세요.

14
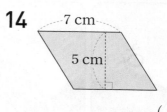

(   )

15
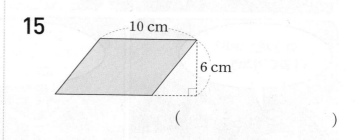

(   )

16
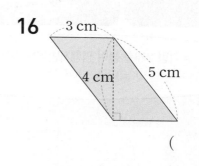

(   )

17
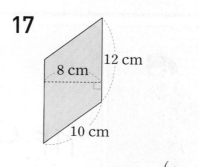

(   )

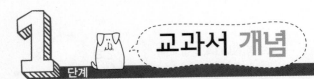

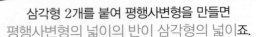

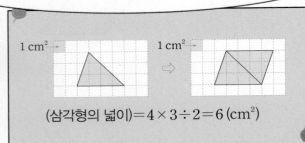

삼각형 2개를 붙여 평행사변형을 만들면 평행사변형의 넓이의 반이 삼각형의 넓이죠.

$1\,cm^2$ $1\,cm^2$

(삼각형의 넓이)$= 4 \times 3 \div 2 = 6\,(cm^2)$

개념 클릭

• 스피드 정답표 14쪽, 정답 45쪽 월 일

◎ **삼각형의 넓이** (1)

삼각형의 한 변을 **밑변**이라고 하면, 밑변과 마주 보는 꼭짓점에서 밑변에 수직으로 그은 선분의 길이를 **높이**라고 합니다.

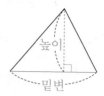

(삼각형의 넓이) = (평행사변형의 넓이) ÷ 2

= (밑변의 길이) × (높이) ÷ 2

= 4 × 3 ÷ 2 = ☐❶ (cm²)

(삼각형의 넓이) = (밑변의 길이) × (높이) ÷ 2

삼각형의 넓이는 평행사변형의 넓이의 반이에요.

○ 정답 ❶ 6

---

1 평행사변형의 넓이를 이용하여 삼각형의 넓이를 구하려고 합니다. 삼각형 2개를 이용하여 만들어지는 평행사변형을 그리고 ☐ 안에 알맞은 수를 써넣으세요.

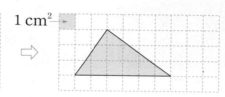

(삼각형의 넓이) = (평행사변형의 넓이) ÷ 2

= 6 × ☐ ÷ 2 = ☐ (cm²)

[2~5] 삼각형의 넓이는 몇 cm²인지 구하세요.

2

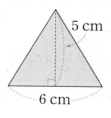
5 cm
6 cm

(   )

3

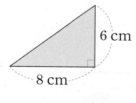
6 cm
8 cm

(   )

삼각형의 넓이는 (밑변의 길이) × (높이) ÷ 2를 이용해서 구해요.

4

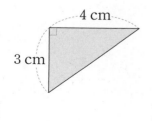
4 cm
3 cm

(   )

5

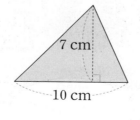
7 cm
10 cm

(   )

뭐야! 콜럼버스, 함정을 만들고 날 기다린 건가?

핀손 자네는 혼자만 보물을 가지려고 날 두고 갔잖아! 용서 못 해.

미안해. 한 번만 용서해 줘.

그럼 일단 이 문제를 풀어보게.

오잉?

휘릭

밑변의 길이가 8 cm, 높이가 7 cm인 삼각형의 넓이를 구할 수 있겠어?

끄응-

콜럼버스 이 녀석! 일부러 내가 잘 못하는 수학 문제를 내다니……

그건 정말 쉬운 문제인데~. 제가 풀어볼까요?

그럴래?

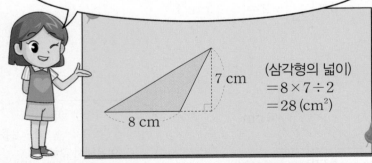

삼각형의 넓이는 밑변의 길이와 높이를 곱하여 2로 나누면 되니까 $8 \times 7 \div 2 = 28$ (cm²)예요.

7 cm

8 cm

(삼각형의 넓이)
$= 8 \times 7 \div 2$
$= 28$ (cm²)

이 보물들은 어떡하죠?

와~

진짜 보물이다

원래 주인에게 돌려줘야지.

핀손, 보물은 포기해.

보물은 포기하겠어. 대신……

나 수학 좀 알려주게~.

• 스피드 정답표 14쪽, 정답 45쪽

월 일

◎ **삼각형의 넓이** (2)

밑변과 마주 보는 꼭짓점에서 밑변의 연장선에 수직으로 그은 선분을 높이로 나타낼 수 있습니다.

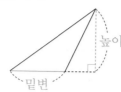
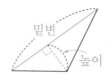

삼각형에서 밑변에 따라 높이를 다르게 표현할 수 있어요.

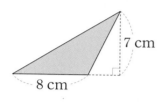

(삼각형의 넓이)=(밑변의 길이)×(높이)÷2

$$=8 \times \boxed{①} \div 2 = \boxed{②} \ (cm^2)$$

○ 정답 ❶ 7 ❷ 28

1 삼각형의 높이를 표시해 보세요.

➤ 밑변과 마주 보는 꼭짓점에서 밑변 또는 밑변의 연장선에 수선을 그어요.

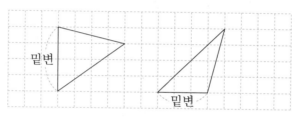

[2~5] 삼각형의 넓이는 몇 cm^2인지 구하세요.

2

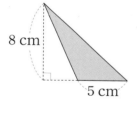

(   )

3

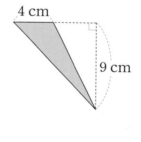

(   )

삼각형의 넓이를 어떻게 구해?

밑변의 길이와 높이를 곱하여 2로 나누면 돼.

4

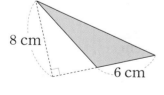

(   )

5

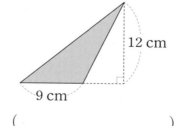

(   )

삼각형의 넓이

[01~03] 보기와 같이 삼각형의 높이를 표시해 보세요.

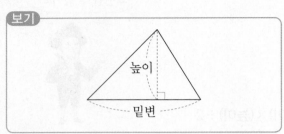
보기

01

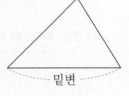
밑변

02

밑변

03

밑변

[04~09] 삼각형의 넓이는 몇 cm²인지 구하세요.

04

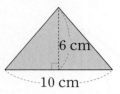
6 cm
10 cm

(   )

05

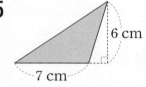
6 cm
7 cm

(   )

06

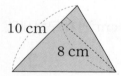
10 cm
8 cm

(   )

07

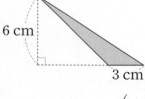
6 cm
3 cm

(   )

08

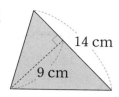

14 cm
9 cm

(   )

09

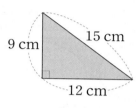

9 cm   15 cm
12 cm

(   )

[10~11] 삼각형의 밑변의 길이가 8 cm일 때 높이는 몇 cm인지 구하려고 합니다. 물음에 답하세요.

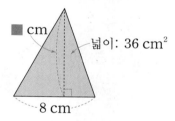

■ cm   넓이: 36 cm²
8 cm

10 □ 안에 알맞은 수를 써넣으세요.

(삼각형의 넓이)=8×■÷2
=□ (cm²)

11 삼각형의 높이는 몇 cm일까요?

(   )

[12~13] 삼각형의 높이가 6 cm일 때 밑변의 길이는 몇 cm인지 구하려고 합니다. 물음에 답하세요.

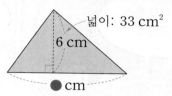

넓이: 33 cm²
6 cm
● cm

12 □ 안에 알맞은 수를 써넣으세요.

(삼각형의 넓이)=●×6÷2
=□ (cm²)

13 삼각형의 밑변의 길이는 몇 cm일까요?

(   )

[14~15] □ 안에 알맞은 수를 써넣으세요.

14

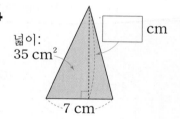

넓이:
35 cm²   □ cm
7 cm

15

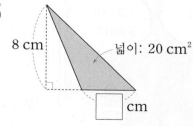

8 cm   넓이: 20 cm²
□ cm

보물을 다시 돌려 줘서 고맙네.

뭘~

우갸 우갸

보답의 의미로 작은 선물을 준비했어.

선물?

하하

그런데 핀손은 용서할 수 없다고?

우찌가가

콜럼버스, 나도 데리고 가게!! 살려줘!

수학 문제를 풀면 핀손도 풀어 준다고?

띠로 띠로

또, 수학 문제?

으... 응. 마름모의 넓이를 구하래!

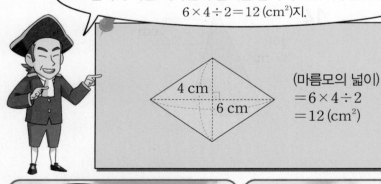

마름모의 넓이는 한 대각선의 길이와 다른 대각선의 길이를 곱하여 2로 나누면 되니까
$6 \times 4 \div 2 = 12 \ (cm^2)$지.

4 cm

6 cm

(마름모의 넓이)
$= 6 \times 4 \div 2$
$= 12 \ (cm^2)$

모두를 용서하겠소~

정말 고맙네.

이건 선물

핀손! 다시는 욕심을 부리지 말게.

고맙네, 콜럼버스~.

잘 있어요~. 또 봅시다.

꾸르르르

자! 이제 집으로 출발~.

◎ **마름모의 넓이 구하기**

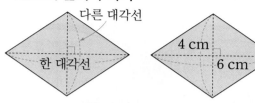

(마름모의 넓이)＝6×4÷2

= ☐ (cm²)

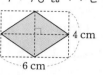

마름모의 넓이는 마름모를 둘러싼 직사각형 넓이의 반이에요.

⇨ 6×4÷2= ❷☐ (cm²)

> (마름모의 넓이)＝(한 대각선의 길이)×(다른 대각선의 길이)÷2

◆ 정답 ❶ 12 ❷ 12

1 직사각형의 넓이를 이용하여 마름모의 넓이를 구하려고 합니다. 물음에 답하세요.

(1) 가로가 8 cm, 세로가 6 cm인 직사각형의 넓이를 구하세요.

8× ☐ = ☐ (cm²)

(2) 마름모 ㉮의 넓이를 구하세요.

(   )

1 cm²

[2~6] 마름모의 넓이는 몇 cm²인지 구하세요.

2

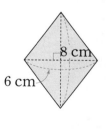

8 cm
6 cm

(   )

3

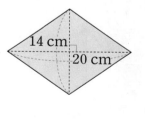

14 cm
20 cm

(   )

마름모의 넓이는 어떻게 구할까요?

한 대각선의 길이와 다른 대각선의 길이를 곱하고 2로 나눠봐.

4

4 cm
15 cm

(   )

5

20 cm
20 cm

(   )

6

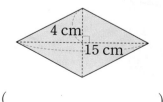

9 cm
18 cm

(   )

6

다각형의 둘레와 넓이

교과서 개념

사다리꼴의 넓이는 어떻게 구하나요?

재! 이거!

고맙습니다! 아저씨~.

그런데 아저씨는 이 책의 내용이 궁금하지 않으세요?

궁금하긴 하지.

하지만 모든 미래는 내가 스스로 결정하며 지낼 거야.

그러니 그 책은 너희가 가지고 가렴. 집으로 가려면 그 책이 필요하지?

너희 덕분에 선물까지 챙겨 돌아갈 수 있게 되어 고맙다.

하하~ 뭘요.

그럼 우리도 이제 집으로 가자.

여기 문제를 풀면 되죠?

무슨 문제야?

응~ 사다리꼴의 넓이를 구하면 돼. 풀어 볼래?

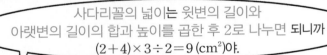

사다리꼴의 넓이는 윗변의 길이와 아랫변의 길이의 합과 높이를 곱한 후 2로 나누면 되니까 $(2+4) \times 3 \div 2 = 9 \, (cm^2)$야.

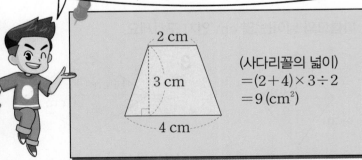

2 cm

3 cm

4 cm

(사다리꼴의 넓이)
$= (2+4) \times 3 \div 2$
$= 9 \, (cm^2)$

자, 문제를 풀었으니 이제 돌아 갈 수 있겠지?

응~

모두 잘 가라.

안녕히 계세요~.

파

팟

• 스피드 정답표 14쪽, 정답 46쪽   월   일

◎ 사다리꼴의 넓이

사다리꼴에서 평행한 두 변을 밑변이라 하고, 한 밑변을 윗변, 다른 밑변을 아랫변이라고 합니다. 이때 두 밑변 사이의 거리를 높이라고 합니다.

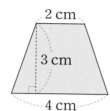

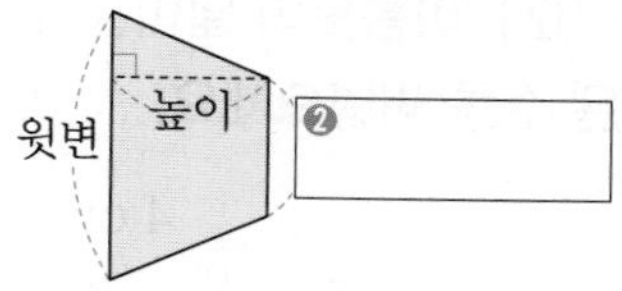

(사다리꼴의 넓이)
$= (2+4) \times 3 \div 2$
$= \boxed{}^{①} \ (cm^2)$

윗변과 아랫변은 위치에 따라 정해져요.

(사다리꼴의 넓이)=((윗변의 길이)+(아랫변의 길이))×(높이)÷2

� 정답 ① 9 ② 아랫변

1 평행사변형을 이용하여 사다리꼴의 넓이를 구하려고 합니다. 물음에 답하세요.

1 cm²   ⇨   1 cm²

사다리꼴의 넓이를 삼각형 2개로 나누어 구할 수도 있어요.

(1) 오른쪽 평행사변형의 넓이를 구하세요.   (   )

(2) 왼쪽 사다리꼴의 넓이를 구하세요.   (   )

[2~5] 사다리꼴의 넓이는 몇 cm²인지 구하세요.

2

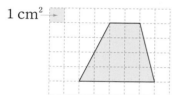

(   )

3

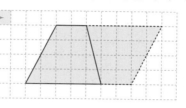

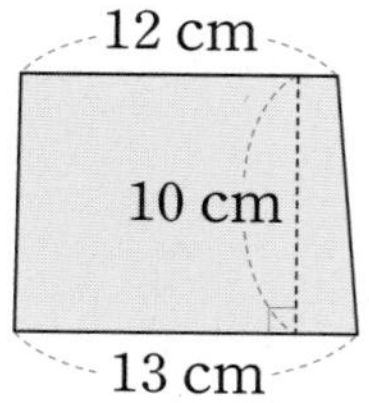

(   )

4

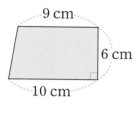

(   )

5

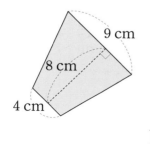

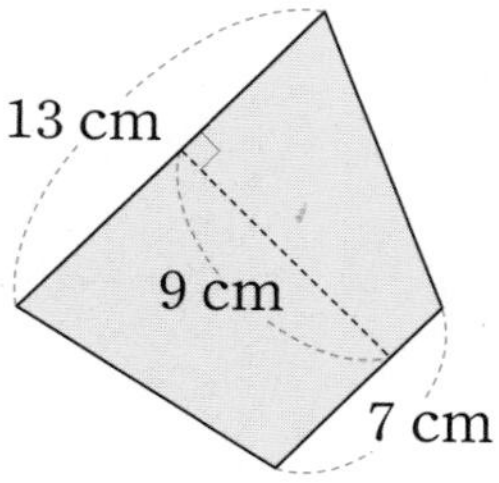

(   )

6 다각형의 둘레와 넓이

마름모의 넓이

[01~02] 마름모의 넓이를 구하려고 합니다. □ 안에 알맞은 수를 써넣으세요.

01

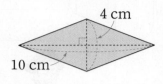

$$10 \times \boxed{} \div 2 = \boxed{} \ (\text{cm}^2)$$

02

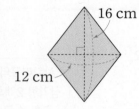

$$12 \times \boxed{} \div 2 = \boxed{} \ (\text{cm}^2)$$

[03~07] 마름모의 넓이는 몇 cm²인지 구하세요.

03

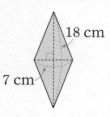

(   )

04

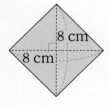

(   )

05

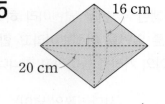

(   )

06

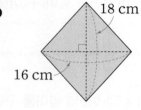

(   )

07

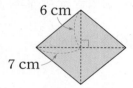

(   )

08 마름모 ㉠와 ㉡ 중 어느 것의 넓이가 더 넓을까요?

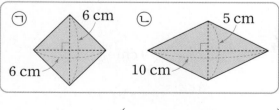

(   )

사다리꼴의 넓이

[09~10] 사다리꼴의 넓이를 구하려고 합니다. □ 안에 알맞은 수를 써넣으세요.

09

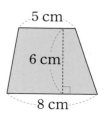

$(5+\boxed{})\times 6\div\boxed{}=\boxed{}\ (\text{cm}^2)$

10

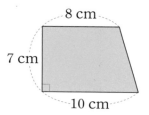

$(\boxed{}+10)\times\boxed{}\div 2=\boxed{}\ (\text{cm}^2)$

[11~16] 사다리꼴의 넓이는 몇 cm²인지 구하세요.

11

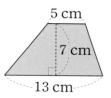

(   )

12

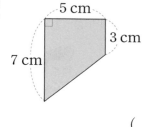

(   )

13

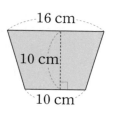

(   )

14

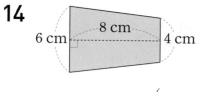

(   )

15

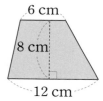

(   )

16

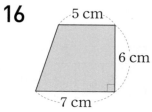

(   )

01 정다각형의 둘레를 구하세요.

(1)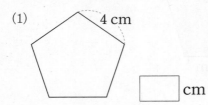
4 cm
[ ] cm

(2)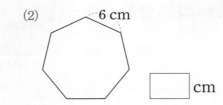
6 cm
[ ] cm

02 평행사변형의 둘레를 구하세요.

(1)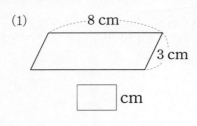
8 cm
3 cm
[ ] cm

(2)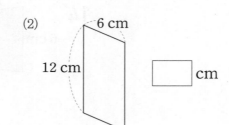
6 cm
12 cm
[ ] cm

03 마름모의 둘레를 구하세요.

(1)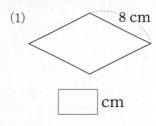
8 cm
[ ] cm

(2)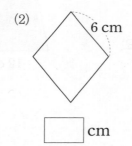
6 cm
[ ] cm

04 □ 안에 알맞은 수를 써넣으세요.

1 cm²

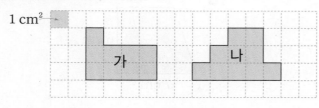
가   나

도형 나는 도형 가보다 넓이가 [ ] cm² 더 넓습니다.

05 □ 안에 알맞은 수를 써넣으세요.

(1) 4 m² = [　　　] cm²

(2) 50000 cm² = [　] m²

(3) 3000000 m² = [　] km²

(4) 9 km² = [　　　] m²

Tip

• 1 m² = 10000 cm²
  1 km² = 1000000 m²

06 수지가 새로 산 필통의 윗면은 가로가 22 cm, 세로가 8 cm인 직사각형 모양입니다. 이 필통의 윗면의 넓이는 몇 cm²일까요?

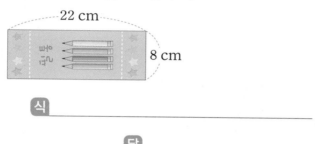
22 cm
8 cm

식 [   ]

답 [   ]

직사각형의 넓이는 가로와 세로를 곱해요.

07 평행사변형의 넓이를 구하세요.

(1)
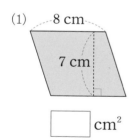
8 cm
7 cm
[　　] cm²

(2)
8 cm
12 cm
[　　] cm²

• (평행사변형의 넓이)
  = (밑변의 길이) × (높이)

08 직사각형의 넓이를 구하세요.

(1)
500 cm
5 m
[　　] m²

(2)
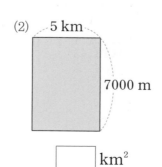
5 km
7000 m
[　　] km²

• 100 cm = 1 m,
  1000 m = 1 km를 이용합니다.

6

다각형의 둘레와 넓이

09 삼각형의 넓이를 구하세요.

(1)
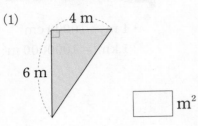

4 m
6 m

☐ m²

(2)
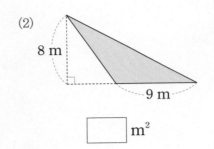

8 m
9 m

☐ m²

Tip

(삼각형의 넓이)
=(밑변의 길이)
  ×(높이)÷2예요.

10 마름모의 넓이를 구하세요.

(1)
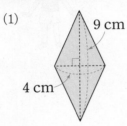

9 cm
4 cm

☐ cm²

(2)
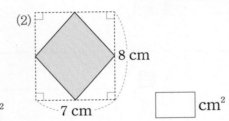

8 cm
7 cm

☐ cm²

• (마름모의 넓이)
  =(한 대각선의 길이)
    ×(다른 대각선의 길이)
    ÷2

11 사다리꼴의 넓이를 구하세요.

(1)
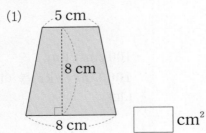

5 cm
8 cm
8 cm

☐ cm²

(2)
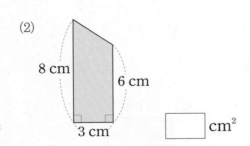

8 cm
6 cm
3 cm

☐ cm²

• (사다리꼴의 넓이)
  =((윗변의 길이)
    +(아랫변의 길이))×(높이)
    ÷2

12 미술 시간에 교실 환경판을 꾸미는 데 밑변의 길이가 9 cm, 높이가 14 cm인 평행사변형 모양 조각이 필요합니다. 평행사변형 모양 조각의 넓이는 몇 cm²일까요?

(   )

Tip

13 그림과 같은 대형 피라미드 모형을 만들고 있습니다. 삼각형 모양의 한쪽 면을 덮는 데 필요한 재료의 넓이는 몇 m²인지 구하세요.

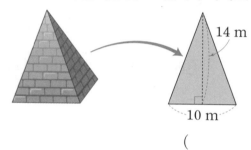

(   )

삼각형의 밑변의 길이가 10 m, 높이가 14 m이므로 넓이는 m²로 나타내요.

6

다각형의 둘레와 넓이

14 ☐ 안에 알맞은 수를 써넣으세요.

(1) 넓이:
112 m²

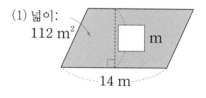
14 m

(2) 넓이:
27 m²

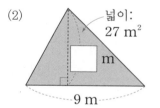
9 m

(3) 넓이:
26 m²

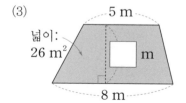
5 m
8 m

(4) 넓이:
32 m²

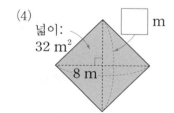
8 m

• (1) (평행사변형의 높이)
  =(평행사변형의 넓이)
  ÷(밑변의 길이)

(2) (삼각형의 높이)
  =(삼각형의 넓이)×2
  ÷(밑변의 길이)

(3) (사다리꼴의 높이)
  =(사다리꼴의 넓이)×2
  ÷((윗변의 길이)+
  (아랫변의 길이))

(4) (다른 대각선의 길이)
  =(마름모의 넓이)×2
  ÷(한 대각선의 길이)

01 □ 안에 알맞은 말을 써넣으세요.

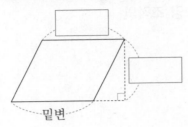

밑변

02 □ 안에 알맞은 수나 말을 써넣으세요.

> 한 변의 길이가 □ cm인 정사각형의
> 넓이를 $1\,cm^2$라 하고
> 1 □ 라고 읽습니다.

03 사다리꼴의 윗변, 아랫변, 높이는 몇 cm인지 각
각 자로 재어 보세요.

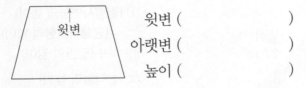

윗변

윗변 (   )

아랫변 (   )

높이 (   )

04 정다각형의 둘레는 몇 cm인지 구하세요.

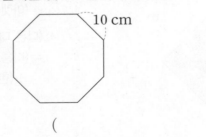

10 cm

(   )

05 직사각형의 둘레를 구하세요.

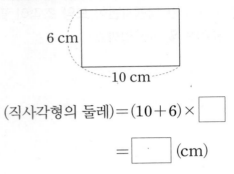

6 cm

10 cm

(직사각형의 둘레)=$(10+6)\times$ □

= □ (cm)

06 평행사변형의 넓이는 몇 cm^2인지 구하세요.

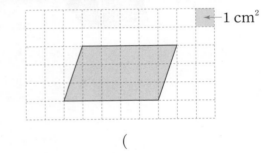

←$1\,cm^2$

(   )

[07~08] □ 안에 알맞은 수를 써넣으세요.

07 $80000\,cm^2=$ □ m^2

08 $7\,km^2=$ □ m^2

09 평행사변형의 넓이는 몇 cm²인지 구하세요.

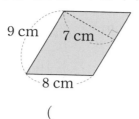

(   )

10 삼각형 가와 넓이가 같은 삼각형을 찾아 기호를 쓰세요.

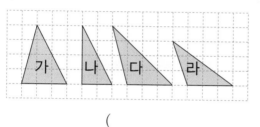

(   )

11 삼각형의 넓이는 몇 m²일까요?

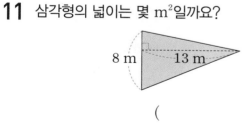

(   )

12 한 변의 길이가 14 cm인 정사각형 모양의 색종이가 있습니다. 이 색종이의 넓이는 몇 cm²일까요?

(   )

13 사다리꼴의 넓이는 몇 cm²일까요?

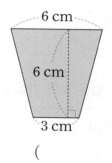

(   )

14 크기가 같은 마름모 2개를 이어 붙인 도형의 둘레는 54 cm입니다. 마름모의 한 변의 길이는 몇 cm일까요?

(   )

6

다각형의 둘레와 넓이

15 가로가 26 cm, 세로가 19 cm인 직사각형의 네 변의 한 가운데를 이어 그린 마름모의 넓이는 몇 cm²일까요?

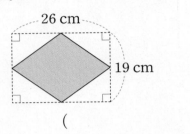

( )

16 넓이가 더 넓은 것의 기호를 쓰세요.

> ㉠ 한 변의 길이가 6 cm인 정사각형
> ㉡ 가로가 4 cm, 세로가 8 cm인 직사각형

( )

17 도형의 둘레는 몇 cm인지 구하세요.

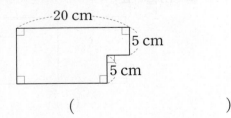

( )

[18~19] □ 안에 알맞은 수를 써넣으세요.

18

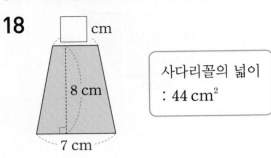

사다리꼴의 넓이
: 44 cm²

19

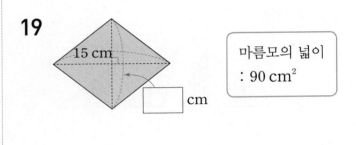

마름모의 넓이
: 90 cm²

20 색칠한 부분의 넓이는 몇 cm²인지 구하세요.

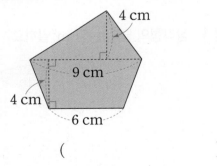

( )

스스로 학습장은 이 단원에서 배운 것을 확인하는 코너입니다.
몰랐던 것은 꼭 다시 공부해서 내 것으로 만들어 보아요.

• 스피드 정답표 14쪽, 정답 48쪽

✳ 예지와 수호는 주말농장에서 텃밭 가꾸기를 합니다. 예지와 수호가 채소를 심은 텃밭의 둘레와 넓이를 알아보세요.

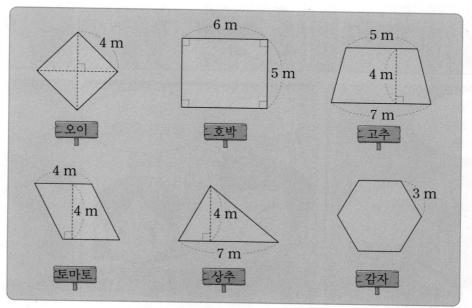

1 감자를 심은 정육각형 모양의 땅의 둘레는 몇 m인지 구하세요.

( )

2 오이를 심은 마름모 모양의 땅의 둘레는 몇 m인지 구하세요.

( )

3 호박을 심은 직사각형 모양의 땅의 넓이는 몇 m²인지 구하세요.

( )

4 토마토를 심은 평행사변형 모양의 땅의 넓이는 몇 m²인지 구하세요.

( )

5 상추를 심은 삼각형 모양의 땅의 넓이는 몇 m²인지 구하세요.

( )

6 고추를 심은 사다리꼴 모양의 땅의 넓이는 몇 m²인지 구하세요.

( )

6

다각형의 둘레와 넓이

에필로그

슈
슈
슈
슈

와~ 집으로 다시 돌아왔다!

으~ 어지러워~

어질

빙글

어질

너희 괜찮니? 다친 데는 없지?

네~

힘들었지만 엄청 재미있는 경험이었어요.

저도요.

그런데 난 아직 궁금한 게 있어.

뭐가?

혹시 기억나?

우리가 도움이 필요할 때마다 도와준 누군가가 있었잖아.

휴 익~

아~ 맞다! 정말 누구였을까?

아! 누군지 알았어. 여기 이렇게 적혀 있네.

인도를 찾아 항해를 시작한지 39일째였다.

식량창고에서 정체를 알 수 없는 사람들을 발견했다.

와르르르

그들의 옷차림은 마치 미래에서 온 사람들 같았다.

나는 하늘에서 날 도와주려고 이 사람들을 보내준 것이란 생각이 들었다.

그래서 난 그들이 도움을 필요로 할 때마다 열심히 도왔다.

그러자 역시 그들도 내가 도움이 필요할 때마다 날 도와줬다.

와~ 그랬구나.

역시 우리를 도왔던 사람은 콜럼버스 아저씨였구나.

우리 이야기가 책에 쓰여 있다니 신기해요.

참!!

또 뭐가 생각났어?

그게 아니라 ……

이 돌은 뭘까?

헉! 너 그거 가져온 거야?

응~ 이건 뭘까?

글쎄…….

그것도 여기 적혀 있어.

원주민 족장의 방에서 발견한 돌이 사라졌다. 아무래도…….

그 돌은 그들과 함께 미래로 간 것 같다.

원주민 족장에게 물어보니 그건 쓸모없는 돌이었다.

앳! 난 보물인 줄 알고 가져온 건데…….

ㅋㅋㅋㅋ

푸아하하

이탈리아에서 태어난 콜럼버스는 지구가 둥글다고 생각했습니다.

콜럼버스는 배를 타고 빠른 길을 찾아 인도로 가기 위해 지도를 익히고 공부를 한 후 에스파냐의 이사벨 여왕에게 인도를 찾을 수 있도록 도움을 요청했습니다.

인도를 찾기 위한 항해를 하기 위해선 튼튼한 배와 많은 선원들이 필요했기 때문입니다.

이사벨 여왕은 새로운 뱃길이 열리면 많은 돈을 벌 수 있을거라 생각하고 콜럼버스를 도와주기로 했습니다.

이사벨 여왕의 도움으로 콜럼버스는 산타마리아호를 타고 인도를 찾아 첫 항해를 시작했습니다.

69일 만에 육지에 닿은 콜럼버스는 그곳을 인도라고 생각했습니다. 하지만 그 곳은 지금의 아메리카 대륙이랍니다.

그 뒤 콜럼버스는 수많은 항해를 하였지만 끝내 인도로 가는 뱃길은 찾지 못했습니다.

콜럼버스의 항해와 신대륙 발견은 모험과 용기의 상징으로 지금도 많은 사람들에게 기억되고 있습니다.

기초 학습능력 강화 프로그램

매일 조금씩 **공부력** UP!
똑똑한 하루
시리즈

쉽다!
초등학생에게 꼭 필요한 지식을
학습 만화, 게임, 퍼즐 등을 통한
'비주얼 학습'으로 쉽게 공부하고 이해!

빠르다!
하루 10분, 주 5일 완성의
커리큘럼으로 빠르고 부담 없이
초등 기초 학습능력 향상!

재미있다!
교과서는 물론 생활 속에서
쉽게 접할 수 있는 다양한 소재를 활용해
스스로 재미있게 학습!

더 새롭게! 더 다양하게! 전과목 시리즈로 돌아온 '똑똑한 하루'
*순차 출시 예정

국어 (예비초~초6)

예비초~초6 각 A·B
교재별 14권

예비초: 예비초 A·B
초1~초6: 1A~4C
14권

영어 (예비초~초6)

초3~초6 Level 1A~4B
8권

Starter A·B
1A~3B
8권

수학 (예비초~초6)

초1~초6 1·2학기
12권

예비초~초6 각 A·B
14권

초1~초6 각 A·B
12권

봄·여름
가을·겨울 (초1~초2)

봄·여름·가을·겨울
각 2권 / 8권

안전 (초1~초2)

초1~초2
2권

사회·과학 (초3~초6)

학기별 구성
사회·과학 각 8권

개념클릭

개념클릭

정답 및 풀이

초등
수학
5·1

천재교육

정답 및 풀이
포인트 3가지

▶ 빠르게 정답을 확인하는 스피드 정답표

▶ 혼자서도 이해할 수 있는 친절한 문제 풀이

▶ 문제 해결에 필요한 핵심 내용 또는
   틀리기 쉬운 내용을 담은 참고와 주의

1. 자연수의 혼합 계산

10~11쪽   준비 학습

1 378
2 (1) 321   (2) 323
3 851
4 465
5 32000
6 $<$
7 (1) $13 \cdots 35$ (2) $23 \cdots 18$
8 $21 \cdots 10$ / $28 \times 21 = 588,\ 588 + 10 = 598$

13쪽   1단계 교과서 개념

1 6, 38
2 52, 31
3 71, 33
4 18, 63
5 26
6 8
7 33
8 36

15쪽   1단계 교과서 개념

1 42, 23
2 23, 10
3 62, 10
4 24, 25
5 16
6 26
7 13
8 27

16~17쪽   2단계 개념 집중 연습

01 56, 29
02 29, 48
03 39, 30
04 29, 43
05 60, 25
06 $35 + 7 - 24 = 42 - 24$
       ① $= 18$
          ②

07 $26 - 15 + 37 = 11 + 37$
      ① $= 48$
        ②

08 41
09 65
10 49
11 25, 26
12 35, 44
13 52, 24
14 46, 58
15 34, 29
16 48
17 37
18 55
19 24
20 7

19쪽   1단계 교과서 개념

1 6, 30
2 7, 21
3 9, 36
4 9, 63
5 72
6 45
7 36
8 24

21쪽   1단계 교과서 개념

1 $75 \div (3 \times 5)$
2 $48 \div (\widetilde{2 \times 4})$
3 8, 9
4 9, 5
5 4
6 8
7 3
8 8

22~23쪽   2단계 개념 집중 연습

01 40, 8
02 12, 48
03 (위부터) 36, 12, 36
04 (위부터) 36, 4, 36
05 32
06 6
07 32
08 2
09 30
10 63
11 6, 9
12 10, 6
13 (위부터) 9, 9, 9
14 (위부터) 15, 6, 15
15 8
16 5
17 5
18 2
19 4
20 10

25쪽   1단계 교과서 개념

1 24, 24, 59 / 39, 156, 194
2 18, 61, 70 / 12, 72, 7
3 98
4 60
5 17
6 49

27쪽 **1단계 교과서 개념**

1 (1) 24, 58, 67 (2) 12, 6, 76
2 80 **3** 4
4 63 **5** 15

28~29쪽 **2단계 개념 집중 연습**

01 30, 20, 28 **02** 3, 9, 50
03 (위부터) 39, 24, 24, 39
04 (위부터) 27, 13, 52, 27
05 $23-(2+4) \times 3 = 23-6 \times 3$
　　　　①
　　　　　　　　$=23-18$
　　　　　②
　　　　　　　　$=5$
　　　③
06 $17+4 \times (12-8) = 17+4 \times 4$
　　　　①
　　　　　　　　$=17+16$
　　　　　②
　　　　　　　　$=33$
　　　③
07 $94-(7+2) \times 9 = 94-9 \times 9$
　　　　①
　　　　　　　　$=94-81$
　　　　　②
　　　　　　　　$=13$
　　　③
08 8, 20, 11 **09** 9, 6, 29
10 (위부터) 46, 16, 62, 46
11 (위부터) 50, 9, 4, 50
12 19 **13** 7
14 51 **15** 15
16 14

31쪽 **1단계 교과서 개념**

1 (위부터) 14, 7, 15, 22, 14
2 (위부터) 25, 18, 5, 30, 25
3 (위부터) 71, 7, 84, 91, 71
4 49 **5** 17

33쪽 **1단계 교과서 개념**

1 (위부터) 30, 3, 12, 18, 30
2 (위부터) 14, 30, 10, 40, 14
3 38 **4** 32 **5** 49

34~35쪽 **2단계 개념 집중 연습**

01 (위부터) 13, 6, 21, 27, 13
02 (위부터) 72, 36, 6, 57, 72
03 (위부터) 31, 5, 21, 52, 31
04 12 **05** 46
06 49 **07** 8
08 (위부터) 34, 6, 30, 4, 34
09 (위부터) 44, 9, 8, 36, 44
10 (위부터) 18, 6, 42, 14, 18
11 $42 \div 7+(14-8) \times 5 = 42 \div 7+6 \times 5$
　　　②　　　　　①
　　　　　　　　　　　$=6+6 \times 5$
　　　　　　　　　　　$=6+30$
　　　　　　　　③　　$=36$
　　　　　④
12 $25+(25-7) \div 6 \times 4 = 25+18 \div 6 \times 4$
　　　　　　①
　　　　　　　　　$=25+3 \times 4$
　　　　　　　②
　　　　　　　　　$=25+12$
　　　　　　　③
　　　　　　　　　$=37$
　　　　④
13 $51-40 \div (4 \times 2)+7 = 51-40 \div 8+7$
　　　　　　　①
　　　　　　　　　$=51-5+7$
　　　　　②
　　　　　　　　　$=46+7$
　　　③
　　　　　　　　　$=53$
　　　　④
14 $4 \times (17-5)+20 \div 4 = 4 \times 12+20 \div 4$
　　　①
　　　　　　　　$=48+20 \div 4$
　　②
　　　　　　　　$=48+5$
　　　　　　③ $=53$
　　　④

36~39쪽 　　　3 단계 익힘책 익히기

01 (1) $54-7+2\times5$ 　(2) $4\times(24-8)+9$
　　(3) $33-24\div6+11$ 　(4) $5+48\div(16-8)$

02 (1) ㉡, ㉣, ㉠, ㉢ 　(2) ㉡, ㉢, ㉣, ㉠

03 (1) 71 　(2) 5

04 (1) $90-10\times(5+3)=90-10\times8$
　　　　　　　　　　　$=90-80$
　　　　　　　　　　　$=10$

　　(2) $40-16+24\div4=40-16+6$
　　　　　　　　　　　$=24+6$
　　　　　　　　　　　$=30$

　　(3) $53-(9+16)\div5\times4=53-25\div5\times4$
　　　　　　　　　　　　$=53-5\times4$
　　　　　　　　　　　　$=53-20$
　　　　　　　　　　　　$=33$

05 (1) 45 　(2) 30

06 $32+(24-8)\div4=32+16\div4$
　　　　　　　　　$=32+4$
　　　　　　　　　$=36$

07 (1) > 　(2) <

08 25, 31, 39 / 39권

09 4, 8, 10 / 10개

10 3, 5, 8 / 8개

11 2000원

07 22　　　　　　　**08**

09 >　　　　　**10** $48\div(16-8)+5=48\div8+5$
　　　　　　　　　　　　$=6+5$
　　　　　　　　　　　　$=11$

11 $15+5\times9\div3-8=15+45\div3-8$
　　　　　　　　　　$=15+15-8$
　　　　　　　　　　$=30-8$
　　　　　　　　　　$=22$

12 ㉡　　　　　　　　**13** 183

14 $20+(18-3)\div5=20+15\div5$
　　　　　　　　　$=20+3$
　　　　　　　　　$=23$

15 ㉢, ㉠, ㉡

16 4, ×, 12, 47 / 47

17 12, 9, 78 / 78장

18 3, 5, 18 / 18개

19 20 ℃

20 $8\times(13-7)+20=68$

40~42쪽 　　　4 단계 단원 평가

01 $15+84\div42\times2-1$ 　**02** $20+36\div4-3$

03 24, 4 　　　　　**04** 18, 6, 4

05 89 　　　　　　**06** 18

43쪽 　　　스스로 학습장

1 $36-10+5\times6=36-10+30$
　　　　　　　　$=26+30=56$

2 $72\div(9-5)+7=72\div4+7$
　　　　　　　　$=18+7=25$

3 $42-(9+3)\times2=42-12\times2$
　　　　　　　　$=42-24=18$

2. 약수와 배수

46~47쪽 　　　　　　 준비 학습

1 (1) 5, 9　(2) 6, 5

2 (1) 75　(2) 292　(3) 210　(4) 294

3 (○) (　) (　)　　　**4** (위부터) 816, 1200

5 (1) 17, 224, 0　(2) 25, 36, 90, 90, 0

6 280÷40＝7 / 7개

49쪽 　　　　　 1 단계 교과서 개념

1 1, 2, 4, 8

2 1, 2, 3, 4 / 1, 2, 4

3 1, 3, 5, 15　　　　　　**4** 1, 2, 3, 6

51쪽 　　　　　 1 단계 교과서 개념

1 (위부터) 6, 9, 12 / 6, 9, 12

2 12, 24, 30에 ○표

3 5, 10, 15　　　　　　　**4** 9, 18, 27

53쪽 　　　　　 1 단계 교과서 개념

1 (위부터) (1) 4, 6, 2　(2) 3, 4, 12, 3, 12

2 배수, 약수　　　　　**3** (○) (　)

54~55쪽 　　　　　 2 단계 개념 집중 연습

01 2, 7, 14 / 1, 2, 7, 14　　**02** 3, 7, 21 / 1, 3, 7, 21

03 1, 2, 4, 5, 10, 20　　**04** 1, 2, 4, 7, 14, 28

05 1, 7, 49　　　　　**06** 1, 2, 3, 5, 6, 10, 15, 30

07 2, 4, 6 / 2, 4, 6　　**08** 11, 22, 33 / 11, 22, 33

09 7, 14, 21, 28, 35　　**10** 12, 24, 36, 48, 60

11 15, 30, 45, 60, 75　　**12** 2, 5, 2, 5

13 2, 4, 16, 2, 4, 16　　**14** ○

15 ×　　　　　　　**16** ○

17 ○　　　　　　　**18** ×

57쪽 　　　　　 1 단계 교과서 개념

1 1, 7 / 7

2 (1) 1, 3, 5, 15 / 1, 3, 7, 21

　(2) 1, 3　(3) 3 / 1, 3

3 1, 2, 4　　　　　　**4** 1, 7

59쪽 　　　　　 1 단계 교과서 개념

1 2, 5 / 3, 5　　　　　**2** 5, 10

3 (위부터) 1, 3 / 3, 9

4 (위부터) 7, 3 / 7, 14

60~61쪽 　　　　　 2 단계 개념 집중 연습

01 (위부터) 2, 3, 6, 1, 3, 9 / 1, 3, 3

02 (위부터) 2, 3, 6, 9, 18, 1, 3, 5, 15 / 1, 3, 3

03 1, 2, 4　　**04** 1, 2, 5, 10　　**05** 1, 3, 5, 15

06 1, 2　　　**07** 4　　　　　**08** 14

09 3　　　　**10** 4　　　　　**11** 14

12 5 / 5　　　**13** 3 / 3

14 (위부터) 2, 10 / 2, 2, 8

15 (위부터) 2, 14 / 2, 2, 8

16 9　　　　　　　　**17** 4

63쪽 | **1** 단계 교과서 개념

1

| 6의 배수 | 6, 12, 18, ㉔, 30, 36, 42, ㊽, 54, 60, 66, ㉟ …… |
| 8의 배수 | 8, 16, ㉔, 32, 40, ㊽, 56, 64, ㊲, 80, 88 …… |

/ 24

2 (1)

| 4의 배수 | 4 | 8 | 12 | 16 | 20 | 24 | 28 | 32 | 36 | …… |
| 6의 배수 | 6 | 12 | 18 | 24 | 30 | 36 | 42 | 48 | 54 | …… |

(2) 12, 24, 36

(3) 12 / 12, 24, 36

3 30, 60, 90   **4** 35, 70, 105

65쪽 | **1** 단계 교과서 개념

1 3, 3 / 3, 5   **2** 3, 5, 135

3 (위부터) 4, 3, 2 / 3, 2, 24

4 (위부터) 5, 3 / 5, 3, 90

66~67쪽 | **2** 단계 개념 집중 연습

01 (위부터) 8, 12, 16, 20, 24, 16, 24, 32, 40 / 8, 16, 8

02 (위부터) 6, 9, 12, 15, 18, 18, 27, 36, 45 / 9, 18, 9

03 8, 16, 24   **04** 15, 30, 45

05 12, 24, 36   **06** 36, 72, 108

07 6   **08** 16

09 36   **10** 210

11 210   **12** 120

13 42   **14** (위부터) 2, 7 / 2, 7, 126

15 (위부터) 3, 6, 2 / 3, 5, 2, 60

16 24   **17** 90

68~71쪽 | **3** 단계 익힘책 익히기

01 (위부터) 1, 2, 4, 8, 16 / 1, 2, 4, 8, 16

02 배수, 약수   **03** (○) (×) (○)

04 4, 8, 12, 16, 20, 24, 28, 32, 36, 40에 ○표,
7, 14, 21, 28, 35에 △표

05 (○) (×) (○)   **06** 1, 2, 3, 6 / 6

07

| 3의 배수 | 3 | 6 | 9 | 12 | 15 | 18 | 21 | 24 | …… |
| 4의 배수 | 4 | 8 | 12 | 16 | 20 | 24 | 28 | 32 | …… |

08

| 3의 배수 | 3 | 6 | 9 | ⑫ | 15 | 18 | 21 | ㉔ | …… |
| 4의 배수 | 4 | 8 | ⑫ | 16 | 20 | ㉔ | 28 | 32 | …… |

/ 12

09 3, 2 / 2, 3, 12   **10** 5, 2, 30

11 1, 2, 7, 14   **12** 12, 24, 36

13 예

```
2) 20  32
2) 10  16
    5   8  / 2×2=4
```

14 예

```
5) 20  70
2)  4  14
    2   7  / 5×2×2×7=140
```

15 8   **16** 30, 45

72~74쪽 | **4** 단계 단원 평가

01 8, 16, 24 / 8, 16, 24   **02** 배수, 약수

03 ③   **04** 1, 2, 4, 5, 8, 10, 20, 40

05 1, 2, 3, 6   **06** 6

07 7, 14   **08** 6, 462

09 ④   **10** ㉡

11 4, 280   **12** ③

13 (○) (　) (　)   **14** 5개

15 1, 3, 5, 15   **16** ㉢

17 90, 180, 270   **18** 7명

19 50분   **20** 오전 9시 30분

75쪽 | 스스로 학습장

1 (1) 1, 2, 3, 4, 6, 12

(2) 1, 2, 3, 4, 6, 9, 12, 18, 36

(3) 3, 3 / 3, 12   (4) 2×2×3=12

2 (1) 15, 30, 45, 60, 75   (2) 45, 90, 135, 180, 225

(3) 5, 5 / 5, 45   (4) 3×5×1×3=45

3. 규칙과 대응

78~79쪽 준비 학습

1 (1) 1 (2) 205 (3) 506
2
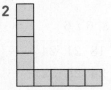
3 (1) 200, 100 (2) 500, 700
4 208, 209

81 쪽 1 단계 교과서 개념

1 10개   2 2
3 4, 6, 8   4 2

83 쪽 1 단계 교과서 개념

1 18, 24, 30   2 6   3 9, 12, 15, 18
4 ○=3×△ 또는 ○÷3=△

85 쪽 1 단계 교과서 개념

1 3, 4, 5, 6
2 □=△+1 또는 □−1=△
3 14, 15, 16 /
(연도)=(서준이의 나이)+2006
또는 (서준이의 나이)=(연도)−2006

86~87쪽 2 단계 개념 집중 연습

01 6
02 21개
03 1
04 6, 12, 18, 24
05 예 바퀴의 수는 트럭의 수의 6배입니다.
06 2400, 3200
07 ◇=800×○ 또는 ◇÷800=○
08 4, 8, 12, 16
09 △=4×◎ 또는 △÷4=◎
10 35, 70, 105, 140
11 □=35×◎ 또는 □÷35=◎
12 3, 4, 5
13 예 압정의 수는 도화지의 수보다 1 더 많습니다.
14 □=△+1 또는 □−1=△

88~91쪽 3 단계 익힘책 익히기

01 30, 90
02 20개
03 예 삼각형의 수를 3배 하면 사각형의 수와 같습니다.
04 4, 5, 6, 7
05 14개
06 예 사각판의 수에 2를 더하면 삼각판의 수와 같습니다.
07 (위부터) 1500, 1000 / 2000, 1500 / 2500, 2000
08 | 형이 모은 돈 | − | 500 | = | 동생이 모은 돈 |
또는 | 형이 모은 돈 | = | 동생이 모은 돈 | + | 500 |
09 ☆−500=◎ 또는 ☆=◎+500
10 (위부터) 책, 10 / 의자, 3
11 (위부터) 책의 수, △×10=♡ 또는 ♡÷10=△
/ 의자의 수, ○÷3=☆ 또는 ○=☆×3

92~94쪽　　4 [단계] 단원 평가

01 8　　　　　　**02** 5개
03 2　　　　　　**04** 12, 16
05 4　　　　　　**06** 28개
07 예 ☆은 ○의 5배입니다.
08 10, 15, 20
09 ⊙=◇×5 또는 ⊙÷5=◇
10 35자루　　　　**11** 9개
12 15살
13 ◇=△+4 또는 ◇−4=△
14 16살　　　　　**15** 6, 8, 10
16 □=△×2 또는 □÷2=△
17 10째　　　　　**18** (위부터) 6, 16
19 ◎=△+1 또는 ◎−1=△
20 21개

95쪽　　스스로 학습장

1 4, 7
2 □=△−5 또는 □+5=△
3 예 수호가 말한 수와 예지가 답한 수는 항상 5만큼 차이
　　가 나기 때문입니다.

4. 약분과 통분

98~99쪽　　준비 학습

1 9　　　　　　　　**2** 5, 20
3 (1) $1\dfrac{3}{5}$　(2) $\dfrac{10}{7}$　(3) $\dfrac{19}{8}$　(4) $2\dfrac{3}{9}$
4 (1) >　(2) <
5 15, 30, 45 / 15
6 8 / 80

101쪽　　1 [단계] 교과서 개념

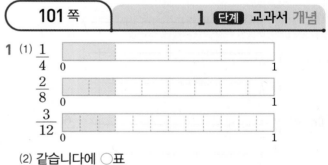

1 (1) $\dfrac{1}{4}$　$\dfrac{2}{8}$　$\dfrac{3}{12}$

(2) 같습니다에 ○표

2 예 $\dfrac{2}{3}$　$\dfrac{3}{6}$　$\dfrac{4}{6}$　/ $\dfrac{2}{3}$, $\dfrac{4}{6}$

103쪽　　1 [단계] 교과서 개념

1 2, 3　　　　　**2** 2, 4
3 3, 15　　　　　**4** 7, 4
5 8　　　　　　　**6** 4

104~105쪽　　2 단계 개념 집중 연습

01 ☐ ☐ / 같은에 ○표

02 ☐ ☐ / 다른에 ○표

03 ☐ ☐ / 같은에 ○표

04 예  $\dfrac{4}{8}$　$\dfrac{2}{4}$　$\dfrac{9}{12}$ / $\dfrac{4}{8}, \dfrac{2}{4}$

05 예 $\dfrac{3}{6}$　$\dfrac{5}{12}$　$\dfrac{6}{12}$ / $\dfrac{3}{6}, \dfrac{6}{12}$

06 예 $\dfrac{6}{10}$　$\dfrac{3}{5}$　$\dfrac{4}{5}$ / $\dfrac{6}{10}, \dfrac{3}{5}$

07 2, 3　　**08** 3, 2　　**09** 3, 21

10 9, 1　　**11** 6, 24　　**12** 4, 4

13 10, 15　　**14** (왼쪽부터) 21, 20

15 3, 2　　　**16** 9, 6

107쪽　　1 단계 교과서 개념

1 (1) 1, 2, 4, 8　(2) (왼쪽부터) 2, $\dfrac{16}{20}$ / 4, $\dfrac{8}{10}$ / 8, $\dfrac{4}{5}$

(3) $\dfrac{4}{5}$, 기약분수

2 (왼쪽부터) 2, $\dfrac{3}{4}$　　**3** (왼쪽부터) 3, $\dfrac{2}{4}$

4 $\dfrac{1}{4}$　　**5** $\dfrac{5}{21}$

109쪽　　1 단계 교과서 개념

1 (1) (위부터) 3, 4, 5, 6, 7, 8 / 9, 12, 15, 18

(2) (왼쪽부터) 4, $\dfrac{9}{24}$ / 8, $\dfrac{18}{48}$

2 (왼쪽부터) 12, 8 / 12, $\dfrac{40}{96}$

3 (왼쪽부터) 3, 3, 2, 2 / $\dfrac{3}{24}, \dfrac{10}{24}$

110~111쪽　　2 단계 개념 집중 연습

01 (왼쪽부터) 3, $\dfrac{3}{6}$　　**02** (왼쪽부터) 8, $\dfrac{1}{3}$

03 (왼쪽부터) 5, $\dfrac{3}{8}$　　**04** (왼쪽부터) 6, $\dfrac{4}{6}$

05 (왼쪽부터) 10, $\dfrac{4}{6}$　　**06** $\dfrac{1}{4}$

07 $\dfrac{2}{5}$　　**08** $\dfrac{1}{2}$

09 $\dfrac{3}{7}$　　**10** $\dfrac{3}{10}$

11 6, 10　　**12** 35, 12

13 27, 32　　**14** $\dfrac{30}{72}, \dfrac{12}{72}$

15 $\dfrac{35}{50}, \dfrac{30}{50}$　　**16** 21, 16

17 9, 14　　**18** 33, 14

19 $\dfrac{14}{30}, \dfrac{25}{30}$　　**20** $\dfrac{15}{36}, \dfrac{32}{36}$

113쪽　　1 단계 교과서 개념

1 (왼쪽부터) 10, $\dfrac{9}{12}$ / >

2 >　　　　　　**3** <

4 (위부터) 9, 14, < / 35, 27, > / 15, 18, < /

$\dfrac{3}{8}, \dfrac{9}{20}, \dfrac{7}{12}$

115쪽 1 단계 교과서 개념

1 (1) 4, 3, > (2) 3, 0.3, >
2 >   **3** <   **4** <   **5** >

116~117쪽 2 단계 개념 집중 연습

01 14, 15 / <   **02** 15, 16 / <
03 30, 27 / >   **04** 9, 8 / >
05 <   **06** <
07 >   **08** >
09 $\frac{2}{5}$, $\frac{4}{9}$, $\frac{1}{2}$ **10** 3, 2 / >
11 7, 8 / <   **12** 7, 0.7 / <
13 6, 0.6 / =   **14** >
15 >   **16** <
17 >   **18** <
19 >   **20** <

118~121쪽 3 단계 익힘책 익히기

01 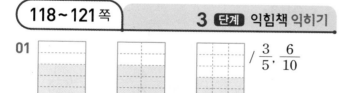 / $\frac{3}{5}$, $\frac{6}{10}$

02 예 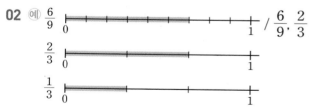 / $\frac{6}{9}$, $\frac{2}{3}$

03 (1) 10, 15 (2) 12, 6

04 (1) (왼쪽부터) 8, 8 / $\frac{2}{3}$ (2) 12, 12 / $\frac{3}{4}$

05 $\frac{6}{16}$, $\frac{9}{24}$에 ○표   **06** (1) $\frac{1}{4}$ (2) $\frac{2}{5}$

07 $\frac{2}{3}$, $\frac{5}{12}$에 ○표   **08** (1) 14, 20 (2) 18, 40

09 (1) (왼쪽부터) 10, $\frac{50}{80}$ / 8, $\frac{24}{80}$ / $\frac{50}{80}$, $\frac{24}{80}$

(2) (왼쪽부터) 5, $\frac{25}{40}$ / 4, $\frac{12}{40}$ / $\frac{25}{40}$, $\frac{12}{40}$

10 (1) $\frac{21}{36}$, $\frac{22}{36}$ (2) $\frac{15}{54}$, $\frac{20}{54}$
11 (1) 21, 24, < (2) 9, 8, >
12 (1) (왼쪽부터) 2, 2 / $\frac{8}{10}$ / 0.8

(2) (왼쪽부터) 5, 5 / $\frac{5}{10}$ / 0.5

13 (1) < (2) < (3) > (4) <
14 (1) $\frac{1}{3}$, $\frac{3}{5}$, $\frac{7}{10}$ (2) $\frac{5}{16}$, $\frac{3}{8}$, $\frac{17}{32}$

122~124쪽 4 단계 단원 평가

01 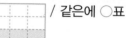 / 같은에 ○표

02 (왼쪽부터) 4, $\frac{12}{20}$ **03** (왼쪽부터) 6 / $\frac{3}{4}$
04 (왼쪽부터) 8, 21, 16
05 ②   **06** $\frac{3}{4}$ **07** (선 연결)   **08** $\frac{33}{44}$, $\frac{8}{44}$
09 $\frac{14}{50}$, $\frac{27}{50}$ **10** 21, 20 / >
11 ㉢   **12** <
13 <   **14** 2개
15 63, 126, 189   **16** ④
17 $\frac{3}{10}$, $\frac{7}{12}$, $\frac{5}{8}$ **18** (위부터) $\frac{4}{7}$, $\frac{3}{8}$, $\frac{3}{8}$
19 1.7, $1\frac{1}{2}$, 0.8, $\frac{3}{5}$ **20** 8개

125쪽 스스로 학습장

1 ○   **2** ○   **3** ×
4 ○   **5** ○   **6** ○
7 ○   **8** ×   **9** ×

5. 분수의 덧셈과 뺄셈

128~129쪽 준비 학습

1 (1) 4, 9, $1\dfrac{3}{6}$ (2) 4, 3

2 (1) $\dfrac{2}{7}$ (2) $\dfrac{5}{9}$ **3** $8\dfrac{1}{9}$

4 $5-2\dfrac{3}{7}=\dfrac{35}{7}-\dfrac{17}{7}=\dfrac{18}{7}=2\dfrac{4}{7}$

5 $2\dfrac{4}{8}\left(=2\dfrac{1}{2}\right)$ **6** $\dfrac{18}{72}, \dfrac{32}{72}$

7 $\dfrac{20}{24}, \dfrac{21}{24}$ **8** $<$

131쪽 1 단계 교과서 개념

1 예
(위부터) 3 / 3, 5

2 방법1 8, 24, 34, 17 방법2 4, 12, 17

3 $\dfrac{17}{20}$ **4** $\dfrac{9}{20}$

133쪽 1 단계 교과서 개념

1 예
/ 4, 4, 9, 1

2 방법1 6, 18, 58, $1\dfrac{10}{48}$, $1\dfrac{5}{24}$

방법2 3, 9, 29, $1\dfrac{5}{24}$

3 $1\dfrac{1}{18}$ **4** $1\dfrac{17}{30}$

134~135쪽 2 단계 개념 집중 연습

01 2, 3, 4, 3, 7   **02** 5, 4, 5, 8, 13

03 $\dfrac{7}{9}$ **04** $\dfrac{25}{28}$ **05** $\dfrac{29}{36}$ **06** $\dfrac{7}{12}$

07 $\dfrac{11}{24}$ **08** $\dfrac{29}{40}$ **09** $\dfrac{4}{9}$ **10** $\dfrac{9}{10}$

11 3, 2, 15, 10, 25, $1\dfrac{7}{18}$

12 7, 3, 14, 15, 29, $1\dfrac{8}{21}$

13 $1\dfrac{7}{22}$ **14** $1\dfrac{11}{15}$ **15** $1\dfrac{5}{24}$ **16** $1\dfrac{7}{40}$

17 $1\dfrac{3}{10}$ **18** $1\dfrac{1}{3}$ **19** $1\dfrac{1}{9}$ **20** $1\dfrac{17}{60}$

137쪽 1 단계 교과서 개념

1 (1) 예
/ 4, 3

(2) 4, 3, 4, 3, 3, 7, 3, 1, $4\dfrac{1}{6}$

2 $3\dfrac{4}{5}+2\dfrac{1}{4}=\dfrac{19}{5}+\dfrac{9}{4}=\dfrac{76}{20}+\dfrac{45}{20}=\dfrac{121}{20}=6\dfrac{1}{20}$

3 $9\dfrac{1}{10}$ **4** $8\dfrac{7}{12}$

139쪽 1 단계 교과서 개념

1 예
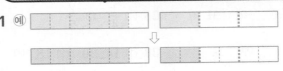
/ 2, 3, 1

2 방법1 8, 40, 44, 11 방법2 2, 10, 11

3 $\dfrac{1}{14}$ **4** $\dfrac{16}{27}$

140~141쪽 — 2 단계 개념 집중 연습

01 3, 4, 3, 4, 1, $3\dfrac{1}{6}$

02 11, 9, 22, 27, 49, $4\dfrac{1}{12}$

03 $3\dfrac{2}{21}$ **04** $4\dfrac{3}{10}$

05 $4\dfrac{19}{36}$ **06** $5\dfrac{3}{20}$

07 $4\dfrac{13}{28}$ **08** $3\dfrac{19}{72}$

09 $6\dfrac{1}{4}$ **10** $3\dfrac{7}{12}$

11 5, 30, 7, 23 **12** 2, 3, 22, 9, 13

13 $\dfrac{3}{8}$ **14** $\dfrac{3}{14}$

15 $\dfrac{1}{3}$ **16** $\dfrac{11}{18}$

17 $\dfrac{3}{4}$ **18** $\dfrac{13}{36}$

19 $\dfrac{17}{24}$ **20** $\dfrac{19}{30}$

143쪽 — 1 단계 교과서 개념

1 방법1 2, 2, 1, $1\dfrac{1}{4}$ 방법2 6, 5, $1\dfrac{1}{4}$

2 $3\dfrac{3}{5}-1\dfrac{1}{6}=\dfrac{18}{5}-\dfrac{7}{6}=\dfrac{108}{30}-\dfrac{35}{30}=\dfrac{73}{30}=2\dfrac{13}{30}$

3 $\dfrac{3}{10}$ **4** $1\dfrac{10}{63}$

145쪽 — 1 단계 교과서 개념

1 방법1 8, 8, 3, 5 방법2 3, 9, 5

2 $2\dfrac{14}{15}$ **3** $3\dfrac{7}{20}$

4 $2\dfrac{22}{35}$ **5** $\dfrac{7}{10}$

146~147쪽 — 2 단계 개념 집중 연습

01 8, 3, 8, 5, $1\dfrac{5}{10}$, $1\dfrac{1}{2}$

02 5, 15, 17, $1\dfrac{5}{12}$

03 $3\dfrac{3}{14}$ **04** $1\dfrac{1}{3}$

05 $1\dfrac{13}{35}$ **06** $1\dfrac{11}{24}$

07 $3\dfrac{1}{18}$ **08** $2\dfrac{4}{21}$

09 $1\dfrac{9}{20}$ **10** $3\dfrac{2}{15}$

11 10, 10, 10, 8, $1\dfrac{8}{15}$

12 21, 9, 105, 72, 33

13 $2\dfrac{23}{40}$ **14** $2\dfrac{9}{20}$

15 $1\dfrac{11}{24}$ **16** $1\dfrac{16}{21}$

17 $\dfrac{3}{10}$ **18** $1\dfrac{7}{12}$

19 $2\dfrac{5}{9}$ **20** $1\dfrac{17}{20}$

148~151쪽 — 3 단계 익힘책 익히기

01 예 (위부터) 2 / 2, 5

02 예 (위부터) 3 / 3, 2, 1

03 (1) 3, 6, 8, 14 (2) 4, 3, 16, 21, 37, $1\dfrac{1}{36}$

04 (1) $7\dfrac{5}{18}$ (2) $6\dfrac{5}{14}$ (3) $\dfrac{13}{18}$ (4) $1\dfrac{1}{2}$

05 (1) $\dfrac{5}{9}+\dfrac{1}{4}=\dfrac{5\times4}{9\times4}+\dfrac{1\times9}{4\times9}=\dfrac{20}{36}+\dfrac{9}{36}=\dfrac{29}{36}$

(2) $4\dfrac{5}{6}-1\dfrac{1}{4}=\dfrac{29}{6}-\dfrac{5}{4}=\dfrac{58}{12}-\dfrac{15}{12}=\dfrac{43}{12}=3\dfrac{7}{12}$

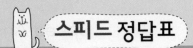

06

07 방법1 $2\dfrac{3}{5}+2\dfrac{4}{7}=2\dfrac{21}{35}+2\dfrac{20}{35}$

$\qquad=(2+2)+\left(\dfrac{21}{35}+\dfrac{20}{35}\right)$

$\qquad=4+\dfrac{41}{35}=4+1\dfrac{6}{35}=5\dfrac{6}{35}$

방법2 $2\dfrac{3}{5}+2\dfrac{4}{7}=\dfrac{13}{5}+\dfrac{18}{7}=\dfrac{91}{35}+\dfrac{90}{35}$

$\qquad=\dfrac{181}{35}=5\dfrac{6}{35}$

08 >

09 방법1 $4\dfrac{3}{5}-1\dfrac{1}{3}=4\dfrac{9}{15}-1\dfrac{5}{15}$

$\qquad=(4-1)+\left(\dfrac{9}{15}-\dfrac{5}{15}\right)$

$\qquad=3+\dfrac{4}{15}=3\dfrac{4}{15}$

방법2 $4\dfrac{3}{5}-1\dfrac{1}{3}=\dfrac{23}{5}-\dfrac{4}{3}=\dfrac{69}{15}-\dfrac{20}{15}$

$\qquad=\dfrac{49}{15}=3\dfrac{4}{15}$

10 방법1 $3\dfrac{1}{4}-2\dfrac{2}{3}=3\dfrac{3}{12}-2\dfrac{8}{12}=2\dfrac{15}{12}-2\dfrac{8}{12}=\dfrac{7}{12}$

방법2 $3\dfrac{1}{4}-2\dfrac{2}{3}=\dfrac{13}{4}-\dfrac{8}{3}=\dfrac{39}{12}-\dfrac{32}{12}=\dfrac{7}{12}$

11 $1\dfrac{23}{40}$ kg

12 $3\dfrac{13}{30}$ 컵

152~154쪽　　**4** 단계 **단원 평가**

01 5, 2, 7

02 6, 8, 30, 8, 38, 19

03 3, $\dfrac{1\times\boxed{4}}{6\times\boxed{4}}$, 15, 4, 19

04 12, 15, 2, 12, 15, 27, $4\dfrac{\boxed{7}}{20}$

05 ④　　　**06** $\dfrac{35}{36}$　　　**07** $\dfrac{4}{35}$

08 $1\dfrac{3}{4}+1\dfrac{5}{6}=\dfrac{7}{4}+\dfrac{11}{6}=\dfrac{21}{12}+\dfrac{22}{12}=\dfrac{43}{12}=3\dfrac{7}{12}$

---

09 $1\dfrac{13}{40}$　　　　**10** ( )(○)

11 $3\dfrac{5}{24}$　　　　**12**

13 >　　　　**14** $1\dfrac{25}{56}$, $7\dfrac{2}{15}$

15 $2\dfrac{17}{42}$　　**16** $6\dfrac{1}{4}$ m　　**17** $4\dfrac{9}{20}$

18 $23\dfrac{6}{7}-20\dfrac{4}{5}=3\dfrac{2}{35}$ / $3\dfrac{2}{35}$ cm

19 $1\dfrac{17}{63}$ 컵　　　　**20** $4\dfrac{6}{35}$

155쪽　　　　스스로 **학습장**

쪽지 시험		이름	김예지
분수의 덧셈과 뺄셈			

※ 계산해 보세요

① $\dfrac{1}{4}+\dfrac{1}{8}=\dfrac{3}{8}$　　　　⑤ $\dfrac{7}{12}-\dfrac{2}{9}=\dfrac{5}{12}\ \dfrac{13}{36}$

② $\dfrac{7}{9}+\dfrac{11}{18}=\dfrac{18}{27}\ 1\dfrac{7}{18}$　　⑥ $4\dfrac{4}{5}-1\dfrac{1}{9}=3\dfrac{31}{45}$

③ $1\dfrac{1}{4}+2\dfrac{1}{6}=3\dfrac{5}{12}$　　⑦ $5\dfrac{1}{8}-2\dfrac{1}{6}=2\dfrac{23}{24}$

④ $2\dfrac{5}{9}+3\dfrac{7}{8}=6\dfrac{31}{72}$　　⑧ $4\dfrac{11}{15}-2\dfrac{29}{30}=2\dfrac{23}{30}\ 1\dfrac{23}{30}$

6. 다각형의 둘레와 넓이

158~159쪽 — 준비 학습

1 가, 라
2 나, 다, 라, 바
3 다, 바
4 (1) 8 (2) 7, 7
5 (위부터) (1) 6, 8 (2) 60, 120
6 2 cm

161쪽 — 1단계 교과서 개념

1 6, 30
2 18 cm
3 36 cm
4 35 cm
5 32 cm

163쪽 — 1단계 교과서 개념

1 2, 18
2 32 cm
3 24 cm
4 20 cm
5 28 cm

164~165쪽 — 2단계 개념 집중 연습

01 5, 30
02 8, 56
03 30 cm
04 28 cm
05 55 cm
06 54 cm
07 56 cm
08 6, 2, 32
09 4, 52
10 9, 2, 30
11 24 cm
12 56 cm
13 36 cm
14 28 cm

167쪽 — 1단계 교과서 개념

1 6 cm²
2 7 cm²
3 (1) 7 cm², 9 cm², 12 cm², 15 cm² (2) 라

169쪽 — 1단계 교과서 개념

1 (1) 6, 4, 4, 24 (2) 6, 6, 6, 36
2 35 cm²
3 81 cm²
4 78 cm²
5 121 cm²

170~171쪽 — 2단계 개념 집중 연습

01 12 cm²
02 6 cm²
03 10 cm²
04 6 cm²
05 10 cm²
06 12 cm²
07 14 cm², 12 cm²
08 2
09 5, 40
10 10, 100
11 5, 60
12 8, 64
13 98 cm²
14 117 cm²
15 49 cm²
16 144 cm²

173쪽 — 1단계 교과서 개념

1 6
2 2000000
3 370000
4 45
5 18, 18

175쪽 — 1단계 교과서 개념

1 (1) 16, 4 (2) 20
2 4 cm, 5 cm
3 91 cm²
4 40 cm²
5 108 cm²

176~177쪽 — 2단계 개념 집중 연습

01 4 제곱미터
02 5 제곱킬로미터
03 30000
04 7
05 8000000
06 5
07 15
08 24000000
09 28, 28
10 (예)
11 (예)
12 (예)
13 (예)
14 35 cm²
15 60 cm²
16 12 cm²
17 96 cm²

179 쪽   1 단계 교과서 개념

1 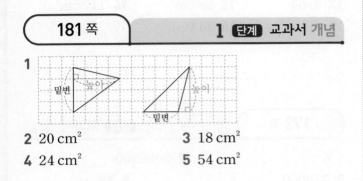 / 3, 9   **2** 15 cm²

3 24 cm²   **4** 6 cm²   **5** 35 cm²

181 쪽   1 단계 교과서 개념

1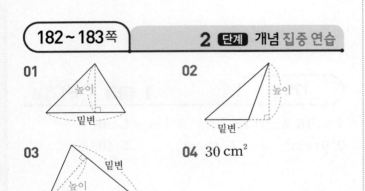

2 20 cm²   **3** 18 cm²

4 24 cm²   **5** 54 cm²

182~183 쪽   2 단계 개념 집중 연습

01 (삼각형, 높이/밑변)

02 (삼각형, 높이/밑변)

03 (삼각형, 밑변/높이)

04 30 cm²

05 21 cm²   **06** 40 cm²   **07** 9 cm²

08 63 cm²   **09** 54 cm²   **10** 36

11 9 cm   **12** 33   **13** 11 cm

14 10   **15** 5

185 쪽   1 단계 교과서 개념

1 (1) 6, 48   (2) 24 cm²   **2** 24 cm²

3 140 cm²   **4** 60 cm²

5 200 cm²   **6** 81 cm²

187 쪽   1 단계 교과서 개념

1 (1) 28 cm²   (2) 14 cm²   **2** 57 cm²

3 125 cm²   **4** 52 cm²

5 90 cm²

188~189 쪽   2 단계 개념 집중 연습

01 4, 20   **02** 16, 96

03 63 cm²   **04** 32 cm²

05 160 cm²   **06** 144 cm²

07 84 cm²   **08** ㉡

09 8, 2, 39   **10** 8, 7, 63

11 63 cm²   **12** 25 cm²

13 130 cm²   **14** 40 cm²

15 72 cm²   **16** 36 cm²

190~193 쪽   3 단계 익힘책 익히기

01 (1) 20   (2) 42   **02** (1) 22   (2) 36

03 (1) 32   (2) 24   **04** 1

05 (1) 40000   (2) 5   (3) 3   (4) 9000000

06 22×8＝176 / 176 cm²

07 (1) 56   (2) 96   **08** (1) 25   (2) 35

09 (1) 12   (2) 36   **10** (1) 18   (2) 28

11 (1) 52   (2) 21   **12** 126 cm²

13 70 m²

14 (1) 8   (2) 6   (3) 4   (4) 8

194~196 쪽   4 단계 단원 평가

01 (위부터) 밑변, 높이   **02** 1, 제곱센티미터

03 2 cm, 3 cm, 2 cm   **04** 80 cm

05 2, 32   **06** 15 cm²

07 8   **08** 7000000

09 63 cm²   **10** 다

11 52 m²   **12** 196 cm²

13 27 cm²   **14** 9 cm

15 247 cm²   **16** ㉠

17 60 cm   **18** 4

19 12   **20** 48 cm²

197 쪽   스스로 학습장

1 18 m   **2** 16 m

3 30 m²   **4** 16 m²

5 14 m²   **6** 24 m²

정답 및 풀이

1. 자연수의 혼합 계산

10~11쪽 　 준비 학습

1 378

2 (1) 321　(2) 323

3 851

4 465

5 32000

6 <

7 (1) 13 ⋯ 35　(2) 23 ⋯ 18

8 21 ⋯ 10 / $28 \times 21 = 588$, $588 + 10 = 598$

5 $800 \times 40 = 32000$

6 $654 \times 25 = 16350$, $514 \times 33 = 16962$
　⇨ $16350 < 16962$

7 (1)
```
      13
63)854
     63
    224
    189
     35
```
(2)
```
      23
23)547
     46
     87
     69
     18
```

8
```
      21
28)598
     56
     38
     28
     10
```

13쪽 　 1단계 교과서 개념

1 6, 38　　2 52, 31　　3 71, 33　　4 18, 63

5 26　　6 8　　7 33　　8 36

5 $31 - 28 + 23 = 26$
　　　3
　　　26

6 $17 + 25 - 34 = 8$
　　　42
　　　8

7 $54 + 18 - 39 = 33$
　　　72
　　　33

8 $42 - 25 + 19 = 36$
　　　17
　　　36

15쪽 　 1단계 교과서 개념

1 42, 23　　2 23, 10

3 62, 10　　4 24, 25

5 16　　6 26

7 13　　8 27

5 $45 - (14 + 15) = 16$
　　　29
　　　16

6 $51 - (9 + 16) = 26$
　　　25
　　　26

7 $36 - (18 + 5) = 13$
　　　23
　　　13

8 $53 - (19 + 7) = 27$
　　　26
　　　27

16~17쪽 　 2단계 개념 집중 연습

01 56, 29　　　　02 29, 48

03 39, 30　　04 29, 43　　05 60, 25

06 $35 + 7 - 24 = 42 - 24$
　　　①　　　= 18
　　　②

07 $26 - 15 + 37 = 11 + 37$
　　　①　　　= 48
　　　②

08 41　　09 65　　10 49

11 25, 26　　12 35, 44　　13 52, 24

14 46, 58　　15 34, 29　　16 48

17 37　　18 55　　19 24

20 7

08 $7+49-15=41$
56
41

09 $54-17+28=65$
37
65

10 $42-18+25=49$
24
49

16 $72-(16+8)=48$
24
48

17 $63-(7+19)=37$
26
37

18 $73-(12+6)=55$
18
55

19 $44-(11+9)=24$
20
24

20 $56-(24+25)=7$
49
7

19쪽 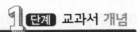 1단계 교과서 개념

1 6, 30   2 7, 21   3 9, 36
4 9, 63   5 72   6 45
7 36   8 24

5 $24\div3\times9=72$
8
72

6 $72\div8\times5=45$
9
45

7 $30\div5\times6=36$
6
36

8 $48\div6\times3=24$
8
24

21쪽 1단계 교과서 개념

1 $75\div(3\times5)$ 2 $48\div(2\times4)$
3 8, 9   4 9, 5   5 4
6 8   7 3   8 8

5 $24\div(2\times3)=4$
6
4

6 $64\div(2\times4)=8$
8
8

7 $45\div(5\times3)=3$
15
3

8 $80\div(5\times2)=8$
10
8

22~23쪽 2단계 개념 집중 연습

01 40, 8   **02** 12, 48
03 (위부터) 36, 12, 36   **04** (위부터) 36, 4, 36
05 32   **06** 6
07 32   **08** 2
09 30   **10** 63
11 6, 9   **12** 10, 6
13 (위부터) 9, 9, 9   **14** (위부터) 15, 6, 15
15 8   **16** 5
17 5   **18** 2
19 4   **20** 10

05 $56\div7\times4=32$
8
32

06 $4\times12\div8=6$
48
6

07 $16\div4\times8=32$
4
32

08 $8\times4\div16=2$
32
2

09 $90\div9\times3=30$
10
30

10 $42\div6\times9=63$
7
63

15 $72\div(3\times3)=8$
9
8

16 $75\div(3\times5)=5$
15
5

17 $40\div(4\times2)=5$
8
5

18 $64\div(4\times8)=2$
32
2

19 $120\div(5\times6)=4$
30
4

20 $140\div(2\times7)=10$
14
10

25쪽 1단계 교과서 개념

1 24, 24, 59 / 39, 156, 194
2 18, 61, 70 / 12, 72, 7   3 98
4 60   5 17   6 49

1 참고

덧셈, 뺄셈, 곱셈이 섞여 있는 식은 곱셈을 먼저 계산하고, ( )가 있으면 ( ) 안을 가장 먼저 계산합니다.

3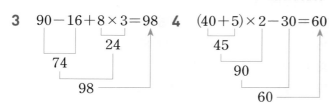

4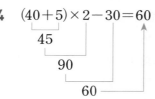

5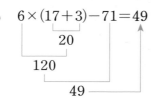

6 $6 \times (17+3) - 71 = 49$

27쪽 **1단계 교과서 개념**

1 (1) 24, 58, 67　(2) 12, 6, 76

2 80　　　　　　　**3** 4

4 63　　　　　　　**5** 15

---

2 $52+32-84 \div 21 = 80$

3 $9-(36+24) \div 12 = 4$

4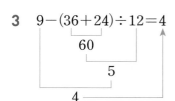
$13+56-42 \div 7 = 63$

5 $9+(42-12) \div 5 = 15$

28~29쪽 **2단계 개념 집중 연습**

01 30, 20, 28　　　**02** 3, 9, 50

03 (위부터) 39, 24, 24, 39

04 (위부터) 27, 13, 52, 27

05 $23-(2+4) \times 3 = 23-6 \times 3$
$ = 23-18$
$ = 5$

06 $17+4 \times (12-8) = 17+4 \times 4$
$ = 17+16$
$ = 33$

07 $94-(7+2) \times 9 = 94-9 \times 9$
$ = 94-81$
$ = 13$

08 8, 20, 11　　　　**09** 9, 6, 29

10 (위부터) 46, 16, 62, 46

11 (위부터) 50, 9, 4, 50

12 19　　　　　　　**13** 7

14 51　　　　　　　**15** 15

16 14

12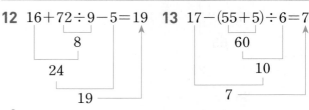
$16+72 \div 9-5 = 19$

13 $17-(55+5) \div 6 = 7$

14 $61-(9+21) \div 3 = 51$

15 $17+42 \div 7-8 = 15$

16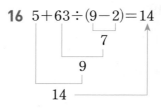
$5+63 \div (9-2) = 14$

31쪽 　1단계 교과서 개념

1 (위부터) 14, 7, 15, 22, 14
2 (위부터) 25, 18, 5, 30, 25
3 (위부터) 71, 7, 84, 91, 71
4 49　　　　　　　　　　　**5** 17

4　$45-70\div5+6\times3=49$
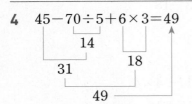

5　$2\times7-40\div5+11=17$
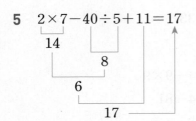

33쪽 　1단계 교과서 개념

1 (위부터) 30, 3, 12, 18, 30
2 (위부터) 14, 30, 10, 40, 14
3 38　　　　**4** 32　　　　**5** 49

3　$17+(15-8)\times9\div3=38$

4　$56\div8+(9-4)\times5=32$

5　$5\times(14-6)+72\div8=49$

34~35쪽 　2단계 개념 집중 연습

01 (위부터) 13, 6, 21, 27, 13
02 (위부터) 72, 36, 6, 57, 72
03 (위부터) 31, 5, 21, 52, 31
04 12　　　　　　　　　　**05** 46
06 49　　　　　　　　　　**07** 8
08 (위부터) 34, 6, 30, 4, 34
09 (위부터) 44, 9, 8, 36, 44
10 (위부터) 18, 6, 42, 14, 18
11 $42\div7+(14-8)\times5=42\div7+6\times5$
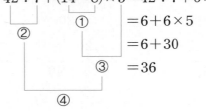
　　　　　　　　　　　　　$=6+6\times5$
　　　　　　　　　　　　　$=6+30$
　　　　　　　　　　　　　$=36$

12 $25+(25-7)\div6\times4=25+18\div6\times4$
　　　　　　　　　　　　　$=25+3\times4$
　　　　　　　　　　　　　$=25+12$
　　　　　　　　　　　　　$=37$

13 $51-40\div(4\times2)+7=51-40\div8+7$
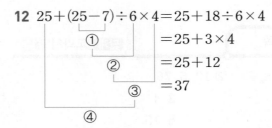
　　　　　　　　　　　　　$=51-5+7$
　　　　　　　　　　　　　$=46+7$
　　　　　　　　　　　　　$=53$

14 $4\times(17-5)+20\div4=4\times12+20\div4$
　　　　　　　　　　　　　$=48+20\div4$
　　　　　　　　　　　　　$=48+5$
　　　　　　　　　　　　　$=53$

04　$36\div6+5\times4-14=12$
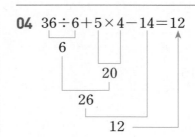

05 $23+8\div2\times7-5=46$

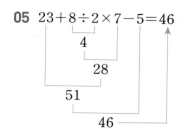

06 $47-5\times4\div2+12=49$

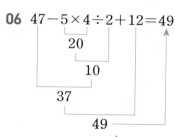

07 $4\times3+18\div6-7=8$

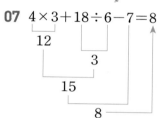

36~39쪽 ③단계 익힘책 익히기

01 (1) $54-7+(2\times5)$　　(2) $4\times(24-8)+9$
　　(3) $33-(24\div6)+11$　　(4) $5+48\div(16-8)$

02 (1) ㉢, ㉣, ㉠, ㉡　(2) ㉡, ㉢, ㉣, ㉠

03 (1) 71　(2) 5

04 (1) $90-10\times(5+3)=90-10\times8$
$$=90-80$$
$$=10$$

(2) $40-16+24\div4=40-16+6$
$$=24+6$$
$$=30$$

(3) $53-(9+16)\div5\times4=53-25\div5\times4$
$$=53-5\times4$$
$$=53-20$$
$$=33$$

---

05 (1) 45　(2) 30

06 $32+(24-8)\div4=32+16\div4$
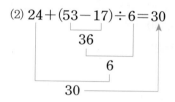
$$=32+4$$
$$=36$$

07 (1) $>$　(2) $<$　**08** $25, 31, 39$ / 39권

09 $4, 8, 10$ / 10개　　　**10** $3, 5, 8$ / 8개

11 2000원

---

03 (1) $38+(52-19)=71$　　(2) $40\div(4\times2)=5$

05 (1) $30-15+6\times5=45$

(2) $24+(53-17)\div6=30$

07 (1) $57-8+6\times3=67$, $57-(8+6)\times3=15$
　　　$\Rightarrow 67>15$

(2) $5+3\times(16-8)\div2=17$,
　　　$5+3\times16-8\div2=49$
　　　$\Rightarrow 17<49$

참고
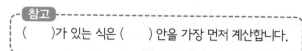
(　　)가 있는 식은 (　　) 안을 가장 먼저 계산합니다.

08 $45+25-31=70-31=39$(권)

09 $20\times4\div8=80\div8=10$(개)

10 $48-(5+3)\times5=48-8\times5=48-40=8$(개)

11 (지혁이가 먹은 김밥과 라면 값)$=2500+3500$
$$=6000(원)$$
$\Rightarrow$ 은지는 지혁이보다
　　　$8000-(2500+3500)=8000-6000$
$$=2000(원)$$
을 더 내야 합니다.

정답 및 풀이

4단계 단원 평가

01 $15+\boxed{84\div42}\times2-1$

02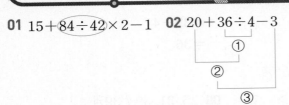
$20+36\div4-3$
① ② ③

03 24, 4 **04** 18, 6, 4 **05** 89

06 18 **07** 22 **08**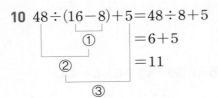

09 >

10 $48\div(16-8)+5=48\div8+5$
$\qquad$ ① $\qquad =6+5$
$\qquad$ ② $\qquad =11$
$\qquad$ ③

11 $15+5\times9\div3-8=15+45\div3-8$
$\qquad$ ① $\qquad =15+15-8$
$\qquad$ ② $\qquad =30-8$
$\qquad$ ③ $\qquad =22$
$\qquad$ ④

12 ㉡ **13** 183

14 $20+(18-3)\div5=20+15\div5$
$\qquad\qquad =20+3$
$\qquad\qquad =23$

15 ㉢, ㉠, ㉡ **16** 4, ×, 12, 47 / 47

17 12, 9, 78 / 78장

18 3, 5, 18 / 18개

19 20 ℃ **20** $8\times(13-7)+20=68$

05 $90-\underset{\underset{81}{9}}{54\div6}+8=89$

06 $13+\underset{\underset{5}{30\div6}}{30\div(3\times2)}=18$

07 $2\times\underset{\underset{16}{8}}{(40-32)}+\underset{6}{36\div6}=22$

08 • $5\times(4+3)-6=5\times7-6=35-6=29$
• $5\times4+3-6=20+3-6=23-6=17$

09 $123-16+50=107+50=157,$
$123-(16+50)=123-66=57 \Rightarrow 157>57$

12 ( )가 있을 때와 없을 때의 계산을 하여 계산 결과가 같은지 비교합니다.

┌ 다른 풀이 ┄┄┄┄┄┄┄┄┄┄┄┄┄┄┄┄┄┄┄┄┄┄┄┄┄
│ ( )가 있을 때와 없을 때의 계산 순서가 바뀌지 않
│ 는 것을 찾습니다.
└┄┄┄┄┄┄┄┄┄┄┄┄┄┄┄┄┄┄┄┄┄┄┄┄┄┄┄┄┄

13 $175-72\div9\times3+25=176 \Rightarrow 176+7=183$

15 ㉠ $2\times(135\div5)=2\times27=54$
㉡ $120-88+9=32+9=41$
㉢ $79-16\div4+7=79-4+7=75+7=82$
$\Rightarrow ㉢>㉠>㉡$

16 $84-4\times12+11=84-48+11=36+11=47$

17 (유미가 가지고 있는 딱지 수)$=75+12-9$
$\qquad\qquad\qquad\qquad\qquad =87-9=78(장)$

18 (한 상자에 들어 있는 과자의 수)$=30\times3\div5$
$\qquad\qquad\qquad\qquad\qquad\qquad =90\div5=18(개)$

19 $(68-32)\times5\div9=36\times5\div9$
$\qquad\qquad\qquad\qquad =180\div9=20$
$\Rightarrow$ 화씨 68 ℉는 섭씨 20 ℃입니다.

20 $8\times(13-7)+20=68$

스스로 학습장

1 $36-10+5\times6=36-10+30$
$\qquad\qquad\qquad =26+30=56$

2 $72\div(9-5)+7=72\div4+7$
$\qquad\qquad\qquad =18+7=25$

3 $42-(9+3)\times2=42-12\times2$
$\qquad\qquad\qquad =42-24=18$

2. 약수와 배수

학부모 지도 가이드

이 단원에서는 수의 연산에 기초가 되는 약수와 배수를 학습합니다.

자연수의 범위에서 약수와 배수를 알아보고, 곱의 관계를 통하여 약수와 배수의 관계를 이해할 수 있도록 해 주세요. 또 두 자연수를 각각 나누어떨어지게 하는 약수들 중에서 공통된 약수로서 공약수를 이해하고 최대공약수를 구하며, 자연수의 몇 배에 해당하는 배수 중에서 공통된 배수로서 공배수를 이해하고 최소공배수를 구하는 방법을 학습합니다. 이 단원은 4단원인 약분과 통분을 학습하는 기초가 되므로 정확하게 이해하고 해결할 수 있도록 지도해 주세요.

46~47쪽 　　　　준비 학습

1 (1) 5, 9　(2) 6, 5

2 (1) 75　(2) 292　(3) 210　(4) 294

3 (○) (　) (　)　　　4 (위부터) 816, 1200

5 (1) 17, 224, 0　(2) 25, 36, 90, 90, 0

6 $280 \div 40 = 7$ / 7개

---

1 (1) $5 \times 9 = 45$　　$5 \times 9 = 45$

　　$45 \div 5 = 9$　　$45 \div 9 = 5$

(2) $30 \div 6 = 5$　　$30 \div 6 = 5$

　　$5 \times 6 = 30$　　$6 \times 5 = 30$

3 $48 \div 4 = 12$, $65 \div 5 = 13$, $91 \div 7 = 13$

4 　　48　　　　　48

　　$\times 17$　　　　$\times 25$

　　336　　　　240

　　480　　　　960

　　816 ,　　1200

5 (1)　　　17　　　(2)　　　25

　　32$\overline{)544}$　　　18$\overline{)450}$

　　　　32　　　　　　36

　　　　224　　　　　90

　　　　224　　　　　90

　　　　　0　　　　　　0

6 (필요한 상자 수)

　＝(전체 구슬 수)÷(한 상자에 담는 구슬 수)

49쪽 　　　1단계 교과서 개념

1 1, 2, 4, 8

2 1, 2, 3, 4 / 1, 2, 4

3 1, 3, 5, 15　　　　4 1, 2, 3, 6

---

2 4를 1, 2, 4로 나누면 나누어떨어집니다.

3 $15 \div 1 = 15$, $15 \div 3 = 5$, $15 \div 5 = 3$, $15 \div 15 = 1$

　⇨ 15의 약수: 1, 3, 5, 15

4 $6 \div 1 = 6$, $6 \div 2 = 3$, $6 \div 3 = 2$, $6 \div 6 = 1$

　⇨ 6의 약수: 1, 2, 3, 6

51쪽 　　　1단계 교과서 개념

1 (위부터) 6, 9, 12 / 6, 9, 12

2 12, 24, 30에 ○표

3 5, 10, 15　　　　4 9, 18, 27

---

1 3의 단 곱셈구구를 이용합니다.

　⇨ $3 \times 1 = 3$, $3 \times 2 = 6$, $3 \times 3 = 9$, $3 \times 4 = 12 \cdots$

2 $6 \times 2 = 12$, $6 \times 4 = 24$, $6 \times 5 = 30$

3 $5 \times 1 = 5$, $5 \times 2 = 10$, $5 \times 3 = 15$

4 $9 \times 1 = 9$, $9 \times 2 = 18$, $9 \times 3 = 27$

53쪽 　　　1단계 교과서 개념

1 (위부터) (1) 4, 6, 2　(2) 3, 4, 12, 3, 12

2 배수, 약수　　　3 (○) (　)

---

1 (2) $12 = 2 \times 2 \times 3$이므로 12는 1, 2, 3, 4, 6, 12의 배수이고, 1, 2, 3, 4, 6, 12는 12의 약수입니다.

2 20은 4와 5의 배수

　$4 \times 5 = 20$

　4와 5는 20의 약수

3 $21 \div 7 = 3$, $25 \div 3 = 8 \cdots 1$

54~55쪽 · 2단계 개념 집중 연습

01 2, 7, 14 / 1, 2, 7, 14 **02** 3, 7, 21 / 1, 3, 7, 21

03 1, 2, 4, 5, 10, 20 **04** 1, 2, 4, 7, 14, 28

05 1, 7, 49 **06** 1, 2, 3, 5, 6, 10, 15, 30

07 2, 4, 6 / 2, 4, 6 **08** 11, 22, 33 / 11, 22, 33

09 7, 14, 21, 28, 35 **10** 12, 24, 36, 48, 60

11 15, 30, 45, 60, 75 **12** 2, 5, 2, 5

13 2, 4, 16, 2, 4, 16 **14** ○

15 × **16** ○

17 ○ **18** ×

---

01 14를 나누어떨어지게 하는 수 1, 2, 7, 14가 14의 약수입니다.

02 21을 나누어떨어지게 하는 수 1, 3, 7, 21이 21의 약수입니다.

03 $20 \div 1 = 20$, $20 \div 2 = 10$, $20 \div 4 = 5$, $20 \div 5 = 4$, $20 \div 10 = 2$, $20 \div 20 = 1$
⇨ 20의 약수: 1, 2, 4, 5, 10, 20

04 $28 \div 1 = 28$, $28 \div 2 = 14$, $28 \div 4 = 7$, $28 \div 7 = 4$, $28 \div 14 = 2$, $28 \div 28 = 1$
⇨ 28의 약수: 1, 2, 4, 7, 14, 28

05 $49 \div 1 = 49$, $49 \div 7 = 7$, $49 \div 49 = 1$
⇨ 49의 약수: 1, 7, 49

06 $30 \div 1 = 30$, $30 \div 2 = 15$, $30 \div 3 = 10$, $30 \div 5 = 6$, $30 \div 6 = 5$, $30 \div 10 = 3$, $30 \div 15 = 2$, $30 \div 30 = 1$
⇨ 30의 약수: 1, 2, 3, 5, 6, 10, 15, 30

07 2를 1배, 2배, 3배……한 수는 모두 2의 배수가 됩니다.

08 11을 1배, 2배, 3배……한 수는 모두 11의 배수가 됩니다.

09 $7 \times 1 = 7$, $7 \times 2 = 14$, $7 \times 3 = 21$, $7 \times 4 = 28$, $7 \times 5 = 35$

10 $12 \times 1 = 12$, $12 \times 2 = 24$, $12 \times 3 = 36$, $12 \times 4 = 48$, $12 \times 5 = 60$

11 $15 \times 1 = 15$, $15 \times 2 = 30$, $15 \times 3 = 45$, $15 \times 4 = 60$, $15 \times 5 = 75$

12 $10 = 1 \times 10$, $10 = 2 \times 5$이므로 10은 1, 2, 5, 10의 배수이고 1, 2, 5, 10은 10의 약수입니다.

13 $16 = 1 \times 16$, $16 = 2 \times 8$, $16 = 4 \times 4$, $16 = 2 \times 2 \times 4$, $16 = 2 \times 2 \times 2 \times 2$이므로 16은 1, 2, 4, 8, 16의 배수이고 1, 2, 4, 8, 16은 16의 약수입니다.

14 $40 \div 5 = 8$

15 $32 \div 7 = 4 \cdots 4$

16 $48 \div 6 = 8$

17 $90 \div 9 = 10$

18 $81 \div 4 = 20 \cdots 1$

57쪽 · 1단계 교과서 개념

1 1, 7 / 7

2 (1) 1, 3, 5, 15 / 1, 3, 7, 21
 (2) 1, 3 (3) 3 / 1, 3

3 1, 2, 4 **4** 1, 7

---

2 (2) 15와 21의 공통된 약수를 찾습니다.
 (3) 15와 21의 공약수인 1, 3 중에서 가장 큰 수는 3이므로 최대공약수는 3입니다.
 ⇨ 3의 약수: 1, 3

3 16의 약수: ①, ②, ④, 8, 16
 28의 약수: ①, ②, ④, 7, 14, 28
 ⇨ 16과 28의 공약수: 1, 2, 4

4 21의 약수: ①, 3, ⑦, 21
 35의 약수: ①, 5, ⑦, 35
 ⇨ 21과 35의 공약수: 1, 7

1단계 교과서 개념

1 2, 5 / 3, 5 　　　　**2** 5, 10

3 (위부터) 1, 3 / 3, 9

4 (위부터) 7, 3 / 7, 14

---

2 20＝②×2×⑤, 30＝②×3×⑤

　　⇨ 20과 30의 최대공약수: 2×5＝10

2단계 개념 집중 연습

01 (위부터) 2, 3, 6, 1, 3, 9 / 1, 3, 3

02 (위부터) 2, 3, 6, 9, 18, 1, 3, 5, 15 / 1, 3, 3

03 1, 2, 4　　　**04** 1, 2, 5, 10　　　**05** 1, 3, 5, 15

06 1, 2　　　**07** 4　　　**08** 14

09 3　　　**10** 4　　　**11** 14

12 5 / 5　　　**13** 3 / 3

14 (위부터) 2, 10 / 2, 2, 8

15 (위부터) 2, 14 / 2, 2, 8

16 9　　　　　　　　　**17** 4

---

03 12의 약수: 1, 2, 3, 4, 6, 12

　　16의 약수: 1, 2, 4, 8, 16

04 10의 약수: 1, 2, 5, 10

　　20의 약수: 1, 2, 4, 5, 10, 20

05 15의 약수: 1, 3, 5, 15

　　30의 약수: 1, 2, 3, 5, 6, 10, 15, 30

06 6의 약수: 1, 2, 3, 6

　　20의 약수: 1, 2, 4, 5, 10, 20

07 4의 약수: 1, 2, 4

　　12의 약수: 1, 2, 3, 4, 6, 12

　　⇨ 4와 12의 최대공약수: 4

---

08 14의 약수: 1, 2, 7, 14

　　28의 약수: 1, 2, 4, 7, 14, 28

　　⇨ 14와 28의 최대공약수: 14

09 15의 약수: 1, 3, 5, 15

　　42의 약수: 1, 2, 3, 6, 7, 14, 21, 42

　　⇨ 15와 42의 최대공약수: 3

10 12＝4×3

　　16＝4×4

　　⇨ 12와 16의 최대공약수: 4

11 42＝2×3×7, 56＝2×2×2×7

　　⇨ 42와 56의 최대공약수: 2×7＝14

16
$$
\begin{array}{r}
3\,)\underline{45\quad 27}\\
3\,)\underline{15\quad\ \,9}\\
5\quad\ \,3
\end{array}
$$
⇨ 45와 27의 최대공약수: 3×3＝9

17
$$
\begin{array}{r}
2\,)\underline{20\quad 24}\\
2\,)\underline{10\quad 12}\\
5\quad\ \,6
\end{array}
$$
⇨ 20과 24의 최대공약수: 2×2＝4

1단계 교과서 개념

1

6의 배수	6, 12, 18, ㉔, 30, 36, 42, ㊽, 54, 60, 66, ㉓……
8의 배수	8, 16, ㉔, 32, 40, ㊽, 56, 64, ㉓, 80, 88……

／ 24

2 (1)

4의 배수	4	8	12	16	20	24	28	32	36	……
6의 배수	6	12	18	24	30	36	42	48	54	

(2) 12, 24, 36

(3) 12 / 12, 24, 36

3 30, 60, 90　　　　　**4** 35, 70, 105

---

2 (2) 4와 6의 공통된 배수를 찾습니다.
　　➡ 12, 24, 36

　(3) 4와 6의 공배수 중에서 가장 작은 수는 12이므로 최소공배수는 12입니다.
　　➡ 12의 배수: 12, 24, 36……

3 ┌ 10의 배수: 10, 20, 30, 40, 50, 60……
　└ 15의 배수: 15, 30, 45, 60……
　➡ 10과 15의 공배수: 30, 60, 90……

4 ┌ 5의 배수: 5, 10, 15, 20, 25, 30, 35, 40, 45, 50, 55, 60, 65, 70……
　└ 7의 배수: 7, 14, 21, 28, 35, 42, 49, 56, 63, 70……
　➡ 5와 7의 공배수: 35, 70, 105……

65쪽　1단계 교과서 개념

1 3, 3 / 3, 5
2 3, 5, 135
3 (위부터) 4, 3, 2 / 3, 2, 24
4 (위부터) 5, 3 / 5, 3, 90

---

2 $27 = 3 \times 3 \times 3$, $45 = 3 \times 3 \times 5$
　➡ 27과 45의 최소공배수: $3 \times 3 \times 3 \times 5 = 135$

66~67쪽　2단계 개념 집중 연습

01 (위부터) 8, 12, 16, 20, 24, 16, 24, 32, 40 / 8, 16, 8
02 (위부터) 6, 9, 12, 15, 18, 18, 27, 36, 45 / 9, 18, 9
03 8, 16, 24
04 15, 30, 45
05 12, 24, 36
06 36, 72, 108
07 6
08 16
09 36
10 210
11 210
12 120
13 42
14 (위부터) 2, 7 / 2, 7, 126
15 (위부터) 3, 6, 2 / 3, 5, 2, 60
16 24
17 90

---

01 두 수의 공통된 배수를 공배수라 하고, 두 수의 공배수 중에서 가장 작은 수를 최소공배수라고 합니다.

03 2의 배수: 2, 4, 6, 8, 10, 12, 14, 16, 18, 20, 22, 24……
　8의 배수: 8, 16, 24, 32, 40, 48, 56, 64……

04 5의 배수: 5, 10, 15, 20, 25, 30, 35, 40, 45……
　15의 배수: 15, 30, 45, 60……

05 6의 배수: 6, 12, 18, 24, 30, 36, 42……
　12의 배수: 12, 24, 36, 48, 60……

06 12의 배수: 12, 24, 36, 48, 60, 72, 84, 96, 108……
　9의 배수: 9, 18, 27, 36, 45, 54, 63, 72……

07 3의 배수: 3, 6, 9, 12, 15, 18, 21……
　6의 배수: 6, 12, 18, 24, 30, 36, 42……
　➡ 3과 6의 최소공배수: 6

08 8의 배수: 8, 16, 24, 32, 40, 48……
　16의 배수: 16, 32, 48, 64, 80……
　➡ 8과 16의 최소공배수: 16

09 4의 배수: 4, 8, 12, 16, 20, 24, 28, 32, 36……
　9의 배수: 9, 18, 27, 36, 45, 54, 63, 72……
　➡ 4와 9의 최소공배수: 36

10 $30 = 6 \times 5$, $42 = 6 \times 7$
　➡ 30과 42의 최소공배수: $6 \times 5 \times 7 = 210$

11 $30 = 2 \times 3 \times 5$, $70 = 2 \times 5 \times 7$
　➡ 30과 70의 최소공배수: $2 \times 5 \times 3 \times 7 = 210$

12 24와 30의 최소공배수: $6 \times 4 \times 5 = 120$

13 14와 42의 최소공배수: $2 \times 7 \times 1 \times 3 = 42$

16
```
2) 8  24
2) 4  12
2) 2   6   ➡ 8과 24의 최소공배수:
   1   3      2×2×2×1×3=24
```

17
```
3) 30  45
5) 10  15   ➡ 30과 45의 최소공배수:
    2   3      3×5×2×3=90
```

01 (위부터) 1, 2, 4, 8, 16 / 1, 2, 4, 8, 16
02 배수, 약수　　**03** (○)(×)(○)
04 4, 8, 12, 16, 20, 24, 28, 32, 36, 40에 ○표,
　　7, 14, 21, 28, 35에 △표
05 (○)(×)(○)　　**06** 1, 2, 3, 6 / 6
07

3의 배수	3	6	9	12	15	18	21	24	……
4의 배수	4	8	12	16	20	24	28	32	……

08

3의 배수	3	6	9	⑫	15	18	21	㉔	……
4의 배수	4	8	⑫	16	20	㉔	28	32	……

　　/ 12
09 3, 2 / 2, 3, 12　　**10** 5, 2, 30
11 1, 2, 7, 14　　　　**12** 12, 24, 36
13 예 $2\,)\overline{\,20\quad 32\,}$
　　　　$2\,)\overline{\,10\quad 16\,}$
　　　　　　$5\quad\ 8$ / $2\times 2=4$
14 예 $5\,)\overline{\,20\quad 70\,}$
　　　　$2\,)\overline{\ \ 4\quad 14\,}$
　　　　　　$2\quad\ 7$ / $5\times 2\times 2\times 7=140$
15 8　　　　　　**16** 30, 45

---

03 $28\div 7=4(○)$, $52\div 6=8\cdots 4(×)$, $45\div 15=3(○)$

04 • 4의 배수: 4를 1배, 2배, 3배……한 수
　　• 7의 배수: 7을 1배, 2배, 3배……한 수

05 $5\times 7=35(○)$, $11\times 4=44(○)$

07 • 3의 배수: 3을 1배, 2배, 3배……한 수
　　• 4의 배수: 4를 1배, 2배, 3배……한 수

08 3과 4의 공배수: 12, 24, 36……
　　3과 4의 최소공배수: 12

11 최대공약수가 14인 두 수의 공약수는 14의 약수와
　　같습니다.
　　14의 약수는 1, 2, 7, 14이므로 최대공약수가 14인
　　두 수의 공약수는 1, 2, 7, 14입니다.

12 최소공배수가 12인 두 수의 공배수는 12의 배수와
　　같습니다.

12의 배수는 12, 24, 36……이므로 최소공배수가
12인 두 수의 공배수는 12, 24, 36……입니다.

15 16과 40의 최대공약수를 구합니다.
　　$8\,)\overline{\,16\quad 40\,}$
　　　　$2\quad\ 5$ ⇨ 16과 40의 최대공약수: 8

16 3의 배수이면서 5의 배수인 수는 3과 5의 공배수입
　　니다.
　　3과 5의 공배수는 15, 30, 45, 60……이고 이 중
　　21부터 50까지의 수는 30, 45입니다.

01 8, 16, 24 / 8, 16, 24　　**02** 배수, 약수
03 ③　　　　　　　　　**04** 1, 2, 4, 5, 8, 10, 20, 40
05 1, 2, 3, 6　　　　　　**06** 6
07 7, 14　　　　　　　　**08** 6, 462
09 ④　　　　　　　　　**10** ㉡
11 4, 280　　　　　　　**12** ③
13 (○)(　)(　)　　**14** 5개
15 1, 3, 5, 15　　　　　**16** ㉢
17 90, 180, 270　　　　**18** 7명
19 50분　　　　　　　　**20** 오전 9시 30분

---

01 8을 1배, 2배, 3배……한 수를 8의 배수라고 합니다.

02 14는 2와 7의 배수
　　$2\ \times\ 7\ =\ 14$
　　2와 7은 14의 약수

03 ③ $3\times 13=39$

04 $40\div 1=40$, $40\div 2=20$, $40\div 4=10$,
　　$40\div 5=8$, $40\div 8=5$, $40\div 10=4$,
　　$40\div 20=2$, $40\div 40=1$
　　⇨ 40의 약수: 1, 2, 4, 5, 8, 10, 20, 40

05 30과 24의 공통된 약수를 찾습니다.

08 최대공약수: $2 \times 3 = 6$
최소공배수: $2 \times 3 \times 7 \times 11 = 462$

09 ⌐ 30의 약수: 1, 2, 3, 5, 6, 10, 15, 30
└ 36의 약수: 1, 2, 3, 4, 6, 9, 12, 18, 36
➡ 30과 36의 공약수: 1, 2, 3, 6

10 큰 수를 작은 수로 나누었을 때 나누어떨어지지 않는 것을 찾습니다.
㉠ $30 \div 5 = 6$ ㉡ $28 \div 12 = 2 \cdots 4$
㉢ $49 \div 7 = 7$ ㉣ $36 \div 12 = 3$

11 2 ⟌ 40 28
　2 ⟌ 20 14 ➡ 최대공약수: $2 \times 2 = 4$
　　　10 　7 　최소공배수: $2 \times 2 \times 10 \times 7 = 280$

12 45는 5와 9의 배수
$5 \times 9 = 45$
5와 9는 45의 약수

13 • 36의 약수: 1, 2, 3, 4, 6, 9, 12, 18, 36 ➡ 9개
• 44의 약수: 1, 2, 4, 11, 22, 44 ➡ 6개
• 21의 약수: 1, 3, 7, 21 ➡ 4개

14 6의 배수 중에서 20보다 크고 50보다 작은 자연수를 모두 찾으면 24, 30, 36, 42, 48로 모두 5개입니다.

15 두 수의 최대공약수의 약수는 두 수의 공약수와 같으므로 15의 약수를 모두 찾습니다.
➡ 15의 약수: 1, 3, 5, 15

16 ㉠ 5 ⟌ 10 35
　　　　　2 　7
　　➡ 최소공배수: $5 \times 2 \times 7 = 70$

㉡ 2 ⟌ 24 36
　2 ⟌ 12 18
　3 ⟌ 　6 　9
　　　　2 　3
➡ 최소공배수: $2 \times 2 \times 3 \times 2 \times 3 = 72$

㉢ 3 ⟌ 18 27
　3 ⟌ 　6 　9
　　　　2 　3
➡ 최소공배수: $3 \times 3 \times 2 \times 3 = 54$

17 45와 30의 공배수는 45와 30의 최소공배수의 배수와 같습니다.
3 ⟌ 45 30
5 ⟌ 15 10
　　　3 　2 ➡ 최소공배수: $3 \times 5 \times 3 \times 2 = 90$
따라서 45와 30의 공배수는 90, 180, 270⋯⋯입니다.

18 21과 49의 최대공약수를 구합니다.
7 ⟌ 21 49
　　3 　7 ➡ 최대공약수: 7
따라서 최대 7명에게 나누어 줄 수 있습니다.

19 5 ⟌ 10 25
　　2 　5 ➡ 최소공배수: $5 \times 2 \times 5 = 50$
10과 25의 최소공배수는 50이므로 대전행 버스와 부산행 버스는 50분마다 동시에 출발합니다.

20 5 ⟌ 10 15
　　2 　3 ➡ 최소공배수: $5 \times 2 \times 3 = 30$
10과 15의 최소공배수는 30이므로 대전행 버스와 대구행 버스는 30분마다 동시에 출발합니다. 따라서 다음번에 동시에 출발하는 시각은 오전 9시 30분입니다.

75쪽　　　스스로 학습장

1 (1) 1, 2, 3, 4, 6, 12
(2) 1, 2, 3, 4, 6, 9, 12, 18, 36
(3) 3, 3 / 3, 12
(4) $2 \times 2 \times 3 = 12$

2 (1) 15, 30, 45, 60, 75
(2) 45, 90, 135, 180, 225
(3) 5, 5 / 5, 45
(4) $3 \times 5 \times 1 \times 3 = 45$

3. 규칙과 대응

학부모 지도 가이드

이 단원에서는 두 양 사이의 대응 관계를 알아보고 이를 기호를 사용하여 표현해 볼 수 있도록 학습합니다.
먼저 대응 관계에 대한 이해를 통하여 규칙적인 배열에서 발견할 수 있는 두 양 사이의 대응 관계를 □, △ 등을 사용하여 식으로 나타내는 방법을 알아보고 이를 바탕으로 생활 속에서 대응 관계를 찾아 식으로 나타낼 수 있도록 지도해 주세요.

78~79쪽 　　　　　　　　 준비 학습

1 (1) 1　　(2) 205　　(3) 506

2
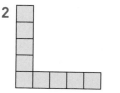

3 (1) 200, 100　　(2) 500, 700
4 208, 209

1 (2) 가로는 201부터 오른쪽으로 1씩 커지므로 ★에 알맞은 수는 204보다 1 큰 205입니다.
　　(3) 가로는 501부터 오른쪽으로 1씩 커지므로 ♥에 알맞은 수는 505보다 1 큰 506입니다.

2 사각형이 위, 오른쪽으로 1개씩 늘어나므로 다섯째에 알맞은 도형은 넷째에 위, 오른쪽으로 1개씩 늘어난 모양입니다.

3 (2) 400보다 100 큰 수인 500에 200을 더해야 합니다.
　　⇨ 500＋200＝700

4 오른쪽과 같은 4칸의 수에서 ①＋④＝②＋③이 됩니다.

①	②
③	④

81쪽 　　　　　　 1단계 교과서 개념

1 10개　　　　　　　　　**2** 2
3 4, 6, 8　　　　　　　　**4** 2

1 가장 왼쪽에 분홍색 사각판 2개가 항상 놓이고 오른쪽으로 분홍색 사각판과 파란색 사각판은 같은 수만큼 놓이므로 파란색 사각판이 8개일 때 분홍색 사각판은 2＋8＝10(개) 필요합니다.

3 사각형의 수가 1개씩 늘어날 때마다 삼각형의 수는 2개씩 늘어납니다.

83쪽 　　　　　　 1단계 교과서 개념

1 18, 24, 30　　**2** 6　　　　**3** 9, 12, 15, 18
4 ○＝3×△ 또는 ○÷3＝△

1 드론이 비행하는 시간이 1초씩 늘어날 때 비행하는 거리는 6 m씩 늘어납니다.

2 △＝6×☆ 또는 △÷6＝☆로 나타낼 수 있습니다.

> **참고**
> 두 양 사이의 대응 관계를 식으로 간단하게 나타낼 때는 각 양을 ○, □, △, ☆ 등과 같은 기호로 표현할 수 있습니다.

3 의자의 수가 1개씩 늘어날 때마다 의자 다리의 수는 3개씩 늘어납니다.

85쪽 　　　　　　 1단계 교과서 개념

1 3, 4, 5, 6
2 □＝△＋1 또는 □－1＝△
3 14, 15, 16 /
(연도)＝(서준이의 나이)＋2006
또는 (서준이의 나이)＝(연도)－2006

1 의자의 수가 1개씩 늘어날 때마다 팔걸이의 수도 1개씩 늘어납니다.

3 일 년이 지날 때마다 서준이의 나이는 한 살씩 늘어납니다.

86~87쪽 **2단계** 개념 집중 연습

01 6 **02** 21개 **03** 1

04 6, 12, 18, 24

05 ⑩ 바퀴의 수는 트럭의 수의 6배입니다.

06 2400, 3200

07 ◇＝800×○ 또는 ◇÷800＝○ **08** 4, 8, 12, 16

09 △＝4×◎ 또는 △÷4＝◎

10 35, 70, 105, 140

11 □＝35×◎ 또는 □÷35＝◎ **12** 3, 4, 5

13 ⑩ 압정의 수는 도화지의 수보다 1 더 많습니다.

14 □＝△＋1 또는 □－1＝△

---

01 가장 왼쪽에 삼각형 1개를 항상 놓고 그 오른쪽으로 사각형과 삼각형을 같은 개수만큼 놓으므로 사각형이 5개일 때 필요한 삼각형의 수는 5＋1＝6(개)입니다.

02 사각형이 20개일 때 삼각형은 20＋1＝21(개) 필요합니다.

03 삼각형의 수는 사각형의 수보다 1 크므로 사각형의 수에 1을 더하면 삼각형의 수와 같습니다.

04 트럭의 수가 1대씩 늘어나면 바퀴의 수는 6개씩 늘어납니다.

05 대응 관계를 '바퀴의 수를 6으로 나누면 트럭의 수와 같습니다'라고 나타낼 수도 있습니다.

06 팔린 아이스크림의 수가 1개씩 늘어나면 판매 금액은 800원씩 늘어납니다.

08 한 모둠에 4명씩이므로 모둠의 수가 1모둠씩 늘어나면 학생의 수는 4명씩 늘어납니다.

10 음료 1개에 설탕이 35 g씩이므로 설탕의 양은 음료의 수의 35배입니다.

12 도화지의 수가 1장씩 늘어나면 압정의 수도 1개씩 늘어납니다.

13 대응 관계를 '압정의 수에서 1을 빼면 도화지의 수와 같습니다'라고 나타낼 수도 있습니다.

88~91쪽 **3단계** 익힘책 익히기

01 30, 90 **02** 20개

03 ⑩ 삼각형의 수를 3배 하면 사각형의 수와 같습니다.

04 4, 5, 6, 7 **05** 14개

06 ⑩ 사각판의 수에 2를 더하면 삼각판의 수와 같습니다.

07 (위부터) 1500, 1000 / 2000, 1500 / 2500, 2000

08 | 형이 모은 돈 | － | 500 | ＝ | 동생이 모은 돈 |

또는 | 형이 모은 돈 | ＝ | 동생이 모은 돈 | ＋ | 500 |

09 ☆－500＝◎ 또는 ☆＝◎＋500

10 (위부터) 책, 10 / 의자, 3

11 (위부터) 책의 수, △×10＝♡ 또는 ♡÷10＝△ / 의자의 수, ○÷3＝☆ 또는 ○＝☆×3

---

01 삼각형 1개에 사각형이 3개씩 필요하므로 삼각형이 10개일 때 사각형은 30개 필요하고, 삼각형이 30개일 때 사각형은 90개 필요합니다.

02 사각형 3개에 삼각형이 1개 필요하므로 사각형이 60개일 때 삼각형은 20개 필요합니다.

03 사각형 3개에 삼각형이 1개 필요하므로 대응 관계를 '사각형의 수를 3으로 나누면 삼각형의 수와 같습니다'라고 나타낼 수도 있습니다.

04 사각판의 수가 1개씩 늘어날 때마다 삼각판의 수도 1개씩 늘어납니다.

05 삼각판은 사각판 양옆에 2개가 항상 있고 아래쪽에 사각판의 수만큼 있으므로 사각판이 12개일 때 삼각판은 아래쪽에 12개, 양옆에 2개가 있으므로 14개가 필요합니다.

06 대응 관계를 '삼각판의 수에서 2를 빼면 사각판의 수와 같습니다'라고 나타낼 수도 있습니다.

07 1주일이 지날 때마다 형이 모은 돈과 동생이 모은 돈은 각각 500원씩 많아집니다.

09 ┌ 참고 ┐
대응 관계에 있는 두 양을 나타낼 수 있는 기호를 정하여 대응 관계를 식으로 나타낼 수 있습니다.

10 ① 책꽂이 칸 한 줄에 책이 10권씩 있습니다.
② 탁자 1개에 의자가 3개씩 있습니다.

92~94쪽 **4단계 단원 평가**

01 8 **02** 5개
03 2 **04** 12, 16
05 4 **06** 28개
07 예 ☆은 ○의 5배입니다.
08 10, 15, 20
09 ◉＝◇×5 또는 ◉÷5＝◇
10 35자루 **11** 9개
12 15살
13 ◇＝△＋4 또는 ◇－4＝△
14 16살 **15** 6, 8, 10
16 □＝△×2 또는 □÷2＝△
17 10째 **18** (위부터) 6, 16
19 ◎＝△＋1 또는 ◎－1＝△
20 21개

---

01 마름모가 1개이면 삼각형이 2개, 마름모가 2개이면 삼각형이 4개, 마름모가 3개이면 삼각형이 6개이므로 마름모가 4개일 때 필요한 삼각형은 8개입니다.

02 삼각형 2개에 마름모가 1개 필요하므로 삼각형이 10개일 때 마름모는 5개 필요합니다.

03 삼각형의 수를 2로 나누면 마름모의 수와 같습니다.

04 탁자 1개에 의자를 4개씩 놓을 수 있습니다.

05 의자의 수를 4로 나누면 탁자의 수와 같습니다.

06 의자의 수는 탁자의 수의 4배입니다.
⇨ 7×4＝28(개)

07 8×5＝40, 9×5＝45, 10×5＝50……이므로 '☆은 ○의 5배입니다' 또는 '☆을 5로 나누면 ○와 같습니다'라고 나타낼 수 있습니다.

08 필통 한 개에 연필이 5자루씩 들어 있습니다. 필통의 수가 1개씩 늘어나면 연필의 수는 5자루씩 늘어납니다.

09 연필의 수는 필통의 수의 5배입니다.
⇨ ◉＝◇×5

10 연필의 수는 필통의 수의 5배이므로 필통 7개에는 연필이 35자루 들어 있습니다.

11 연필의 수를 5로 나누면 필통의 수와 같으므로 연필이 45자루 있다면 필통은 9개 있습니다.

12 누나는 동생보다 4살 더 많으므로 동생이 11살이면 누나는 15살입니다.

14 동생은 누나보다 4살 더 적으므로 누나가 20살이면 동생은 16살입니다.

15 배열 순서가 늘어날수록 사각형 조각의 수는 2개씩 늘어납니다.

17 배열 순서는 사각형 조각의 수를 2로 나누면 됩니다. ⇨ 20÷2＝10(째)

18 표에서 자석의 수는 미술 작품의 수보다 1만큼 큽니다.

20 자석의 수는 미술 작품의 수에 1을 더하면 됩니다.
⇨ 20＋1＝21(개)

95쪽 **스스로 학습장**

1 4, 7
2 □＝△－5 또는 □＋5＝△
3 예 수호가 말한 수와 예지가 답한 수는 항상 5만큼 차이가 나기 때문입니다.

---

1 예지가 답한 수는 수호가 말한 수보다 5 작습니다.

4. 약분과 통분

98~99쪽   **준비 학습**

1 9

2 5, 20

3 (1) $1\dfrac{3}{5}$ (2) $\dfrac{10}{7}$ (3) $\dfrac{19}{8}$ (4) $2\dfrac{3}{9}$

4 (1) >   (2) <

5 15, 30, 45 / 15

6 8 / 80

2 • 30 cm의 $\dfrac{1}{6}$은 30 cm를 똑같이 6으로 나눈 것 중의 1이므로 5 cm입니다.

• 30 cm의 $\dfrac{4}{6}$는 30 cm를 똑같이 6으로 나눈 것 중의 4이므로 20 cm입니다.

3

(1) $\dfrac{8}{5} < \begin{matrix}\dfrac{5}{5}=1 \\ \dfrac{3}{5}\end{matrix} \Rightarrow 1\dfrac{3}{5}$

(2) $1\dfrac{3}{7} < \begin{matrix}1=\dfrac{7}{7} \\ \dfrac{3}{7}\end{matrix} \Rightarrow \dfrac{10}{7}$

(3) $2\dfrac{3}{8} < \begin{matrix}2=\dfrac{16}{8} \\ \dfrac{3}{8}\end{matrix} \Rightarrow \dfrac{19}{8}$

(4) $\dfrac{21}{9} < \begin{matrix}\dfrac{18}{9}=2 \\ \dfrac{3}{9}\end{matrix} \Rightarrow 2\dfrac{3}{9}$

5 5와 15의 공배수: 15, 30, 45……
5와 15의 최소공배수: 15

6
$$\begin{array}{r} 2\,)\underline{40\quad 16} \\ 2\,)\underline{20\quad\ 8} \\ 2\,)\underline{10\quad\ 4} \\ 5\quad\ 2 \end{array}$$
⇨ 최대공약수: $2\times2\times2=8$
최소공배수: $2\times2\times2\times5\times2=80$

101쪽   **1단계** 교과서 개념

1 (1)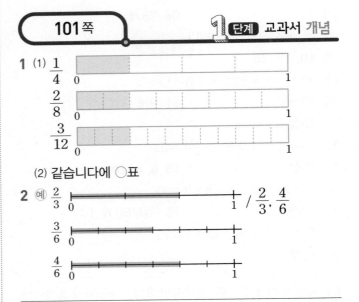

(2) 같습니다에 ○표

2 예

$\dfrac{2}{3}$ / $\dfrac{2}{3}, \dfrac{4}{6}$

$\dfrac{3}{6}$

$\dfrac{4}{6}$

---

1 (1) $\dfrac{1}{4}$은 전체를 똑같이 4로 나눈 것 중의 1, $\dfrac{2}{8}$는 전체를 똑같이 8로 나눈 것 중의 2, $\dfrac{3}{12}$은 전체를 똑같이 12로 나눈 것 중의 3을 색칠합니다.

103쪽   **1단계** 교과서 개념

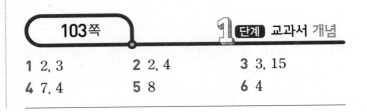

1 2, 3   **2** 2, 4   **3** 3, 15

4 7, 4   **5** 8   **6** 4

1

> **참고**
> 분모와 분자에 각각 0이 아닌 같은 수를 곱하여 크기가 같은 분수를 만듭니다.

2

> **참고**
> 분모와 분자를 각각 0이 아닌 같은 수로 나누어 크기가 같은 분수를 만듭니다.

5 분모에 2를 곱했으므로 분자에도 2를 곱합니다.

$$\frac{4}{9} = \frac{4 \times 2}{9 \times 2} = \frac{8}{18}$$

6 분자를 7로 나눴으므로 분모도 7로 나눕니다.

$$\frac{14}{28} = \frac{14 \div 7}{28 \div 7} = \frac{2}{4}$$

104~105쪽 **2단계 개념 집중 연습**

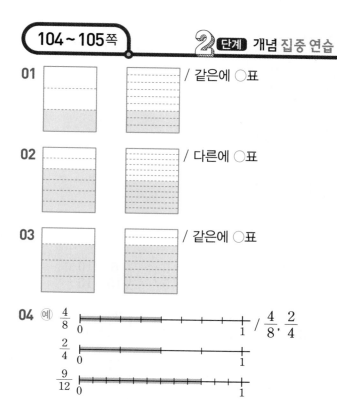

01 / 같은에 ○표

02 / 다른에 ○표

03 / 같은에 ○표

04 (예) $\frac{4}{8}$ ⎯⎯⎯⎯⎯ / $\frac{4}{8}, \frac{2}{4}$

$\frac{2}{4}$ ⎯⎯⎯⎯⎯

$\frac{9}{12}$ ⎯⎯⎯⎯⎯

---

05 (예) 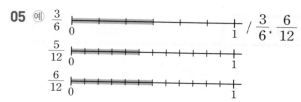 / $\frac{3}{6}, \frac{6}{12}$

06 (예) 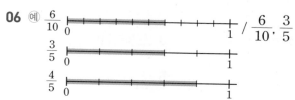 / $\frac{6}{10}, \frac{3}{5}$

07 2, 3   **08** 3, 2
09 3, 21   **10** 9, 1
11 6, 24   **12** 4, 4
13 10, 15   **14** (왼쪽부터) 21, 20
15 3, 2   **16** 9, 6

---

04 수직선에 분수만큼 나타내면 $\frac{4}{8}$ 와 $\frac{2}{4}$ 가 크기가 같습니다.

05 수직선에 분수만큼 나타내면 $\frac{3}{6}$ 과 $\frac{6}{12}$ 이 크기가 같습니다.

06 수직선에 분수만큼 나타내면 $\frac{6}{10}$ 과 $\frac{3}{5}$ 이 크기가 같습니다.

07 분모와 분자에 각각 0이 아닌 같은 수를 곱하여 크기가 같은 분수를 만듭니다.

08 분모와 분자를 각각 0이 아닌 같은 수로 나누어 크기가 같은 분수를 만듭니다.

09 분모와 분자에 각각 3을 곱합니다.

10 분모와 분자를 각각 9로 나눕니다.

13 $\frac{2}{5} = \frac{2 \times 2}{5 \times 2} = \frac{4}{10}$, $\frac{2}{5} = \frac{2 \times 3}{5 \times 3} = \frac{6}{15}$

14 $\frac{4}{7} = \frac{4 \times 3}{7 \times 3} = \frac{12}{21}$, $\frac{4}{7} = \frac{4 \times 5}{7 \times 5} = \frac{20}{35}$

15 $\frac{18}{54} = \frac{18 \div 6}{54 \div 6} = \frac{3}{9}$, $\frac{18}{54} = \frac{18 \div 9}{54 \div 9} = \frac{2}{6}$

16 $\frac{12}{36} = \frac{12 \div 4}{36 \div 4} = \frac{3}{9}$, $\frac{12}{36} = \frac{12 \div 6}{36 \div 6} = \frac{2}{6}$

 정답 및 풀이

107쪽 **1**단계 교과서 **개념**

1 (1) 1, 2, 4, 8　　(2) (왼쪽부터) 2, $\frac{16}{20}$ / 4, $\frac{8}{10}$ / 8, $\frac{4}{5}$

　　(3) $\frac{4}{5}$, 기약분수

2 (왼쪽부터) 2, $\frac{3}{4}$　　　　**3** (왼쪽부터) 3, $\frac{2}{4}$

4 $\frac{1}{4}$　　　　　　　　**5** $\frac{5}{21}$

---

1 (1) 32와 40의 최대공약수: 8

　　⇨ 32와 40의 공약수: 1, 2, 4, 8

　(2) 32와 40의 공약수는 1, 2, 4, 8이므로 2, 4, 8로 분모와 분자를 각각 나눕니다.

　(3) 분모와 분자의 공약수가 1뿐인 분수는 기약분수 입니다.

4 $\frac{8}{32}=\frac{8\div \boxed{8}}{32\div \boxed{8}}=\frac{1}{4}$　→ 8과 32의 최대공약수

5 $\frac{10}{42}=\frac{10\div \boxed{2}}{42\div \boxed{2}}=\frac{5}{21}$　→ 10과 42의 최대공약수

109쪽 **1**단계 교과서 **개념**

1 (1) (위부터) 3, 4, 5, 6, 7, 8 / 9, 12, 15, 18

　　(2) (왼쪽부터) 4, $\frac{9}{24}$ / 8, $\frac{18}{48}$

2 (왼쪽부터) 12, 8 / 12, $\frac{40}{96}$

3 (왼쪽부터) 3, 3, 2, 2 / $\frac{3}{24}$, $\frac{10}{24}$

---

1 (1) 분모와 분자에 각각 0이 아닌 같은 수를 곱하면 크기가 같은 분수가 됩니다.

　(2) 분모가 같은 분수끼리 짝 지으면

　　$\left(\frac{4}{24}, \frac{9}{24}\right), \left(\frac{8}{48}, \frac{18}{48}\right)$입니다.

2 두 분모 8과 12의 곱인 96을 공통분모로 하여 통분합니다.

3 두 분모 8과 12의 최소공배수인 24를 공통분모로 하여 통분합니다.

110~111쪽 **2**단계 개념 **집중 연습**

01 (왼쪽부터) 3, $\frac{3}{6}$　　**02** (왼쪽부터) 8, $\frac{1}{3}$

03 (왼쪽부터) 5, $\frac{3}{8}$　　**04** (왼쪽부터) 6, $\frac{4}{6}$

05 (왼쪽부터) 10, $\frac{4}{6}$　　**06** $\frac{1}{4}$

07 $\frac{2}{5}$　　**08** $\frac{1}{2}$　　**09** $\frac{3}{7}$

10 $\frac{3}{10}$　　**11** 6, 10　　**12** 35, 12

13 27, 32　　**14** $\frac{30}{72}$, $\frac{12}{72}$　　**15** $\frac{35}{50}$, $\frac{30}{50}$

16 21, 16　　**17** 9, 14　　**18** 33, 14

19 $\frac{14}{30}$, $\frac{25}{30}$　　**20** $\frac{15}{36}$, $\frac{32}{36}$

---

01 18과 9의 공약수인 3으로 나누어 약분합니다.

02 24와 8의 공약수인 8로 나누어 약분합니다.

03 40과 15의 공약수인 5로 나누어 약분합니다.

04 36과 24의 공약수인 6으로 나누어 약분합니다.

05 60과 40의 공약수인 10으로 나누어 약분합니다.

06 $\frac{6}{24}=\frac{6\div 6}{24\div 6}=\frac{1}{4}$

07 $\frac{12}{30}=\frac{12\div 6}{30\div 6}=\frac{2}{5}$

08 $\frac{27}{54}=\frac{27\div 27}{54\div 27}=\frac{1}{2}$

09 $\frac{21}{49}=\frac{21\div 7}{49\div 7}=\frac{3}{7}$

10 $\frac{24}{80}=\frac{24\div 8}{80\div 8}=\frac{3}{10}$

11 $\left(\frac{2}{5}, \frac{2}{3}\right) \Rightarrow \left(\frac{2\times 3}{5\times 3}, \frac{2\times 5}{3\times 5}\right) \Rightarrow \left(\frac{6}{15}, \frac{10}{15}\right)$

12 $\left(\frac{5}{6}, \frac{2}{7}\right) \Rightarrow \left(\frac{5\times 7}{6\times 7}, \frac{2\times 6}{7\times 6}\right) \Rightarrow \left(\frac{35}{42}, \frac{12}{42}\right)$

13 $\left(\frac{3}{8}, \frac{4}{9}\right) \Rightarrow \left(\frac{3\times 9}{8\times 9}, \frac{4\times 8}{9\times 8}\right) \Rightarrow \left(\frac{27}{72}, \frac{32}{72}\right)$

14 $\left(\dfrac{5}{12}, \dfrac{1}{6}\right) \Rightarrow \left(\dfrac{5\times6}{12\times6}, \dfrac{1\times12}{6\times12}\right) \Rightarrow \left(\dfrac{30}{72}, \dfrac{12}{72}\right)$

15 $\left(\dfrac{7}{10}, \dfrac{3}{5}\right) \Rightarrow \left(\dfrac{7\times5}{10\times5}, \dfrac{3\times10}{5\times10}\right) \Rightarrow \left(\dfrac{35}{50}, \dfrac{30}{50}\right)$

16 $\left(\dfrac{7}{10}, \dfrac{8}{15}\right) \Rightarrow \left(\dfrac{7\times3}{10\times3}, \dfrac{8\times2}{15\times2}\right) \Rightarrow \left(\dfrac{21}{30}, \dfrac{16}{30}\right)$

17 $\left(\dfrac{3}{8}, \dfrac{7}{12}\right) \Rightarrow \left(\dfrac{3\times3}{8\times3}, \dfrac{7\times2}{12\times2}\right) \Rightarrow \left(\dfrac{9}{24}, \dfrac{14}{24}\right)$

18 $\left(\dfrac{11}{30}, \dfrac{7}{45}\right) \Rightarrow \left(\dfrac{11\times3}{30\times3}, \dfrac{7\times2}{45\times2}\right) \Rightarrow \left(\dfrac{33}{90}, \dfrac{14}{90}\right)$

19 두 분모 15와 6의 최소공배수인 30을 공통분모로 하여 통분합니다.

$\left(\dfrac{7}{15}, \dfrac{5}{6}\right) \Rightarrow \left(\dfrac{7\times2}{15\times2}, \dfrac{5\times5}{6\times5}\right) \Rightarrow \left(\dfrac{14}{30}, \dfrac{25}{30}\right)$

20 두 분모 12와 9의 최소공배수인 36을 공통분모로 하여 통분합니다.

$\left(\dfrac{5}{12}, \dfrac{8}{9}\right) \Rightarrow \left(\dfrac{5\times3}{12\times3}, \dfrac{8\times4}{9\times4}\right) \Rightarrow \left(\dfrac{15}{36}, \dfrac{32}{36}\right)$

113쪽 　1단계 교과서 개념

1 (왼쪽부터) 10, $\dfrac{9}{12}$ / >

2 >　　　　　**3** <

4 (위부터) 9, 14, < / 35, 27, > / 15, 18, < /
$\dfrac{3}{8}, \dfrac{9}{20}, \dfrac{7}{12}$

---

1 두 분모 6과 4의 최소공배수인 12를 공통분모로 하여 통분한 다음 크기를 비교합니다.

2 $\left(\dfrac{3}{7}, \dfrac{2}{9}\right) \Rightarrow \left(\dfrac{27}{63}, \dfrac{14}{63}\right) \Rightarrow \dfrac{3}{7} > \dfrac{2}{9}$

3 $\left(\dfrac{2}{3}, \dfrac{5}{6}\right) \Rightarrow \left(\dfrac{4}{6}, \dfrac{5}{6}\right) \Rightarrow \dfrac{2}{3} < \dfrac{5}{6}$

4 $\dfrac{3}{8} < \dfrac{7}{12}$, $\dfrac{7}{12} > \dfrac{9}{20}$, $\dfrac{3}{8} < \dfrac{9}{20}$ 이므로
$\dfrac{3}{8} < \dfrac{9}{20} < \dfrac{7}{12}$ 입니다.

115쪽 　1단계 교과서 개념

1 (1) 4, 3, >　　(2) 3, 0.3, >
2 >　　　**3** <　　　**4** <　　　**5** >

---

1 (1) $\dfrac{4}{10} > \dfrac{3}{10}$ 이므로 $\dfrac{16}{40} > \dfrac{15}{50}$ 입니다.

(2) $0.4 > 0.3$ 이므로 $\dfrac{16}{40} > \dfrac{15}{50}$ 입니다.

2 $\dfrac{4}{5} = 0.8 \Rightarrow 0.8 > 0.7 \Rightarrow \dfrac{4}{5} > 0.7$

3 $2\dfrac{1}{2} = 2.5 \Rightarrow 2.5 < 2.6 \Rightarrow 2\dfrac{1}{2} < 2.6$

4 $0.3 = \dfrac{3}{10} = \dfrac{15}{50} \Rightarrow \dfrac{15}{50} < \dfrac{18}{50} \Rightarrow 0.3 < \dfrac{18}{50}$

5 $5.6 = 5\dfrac{6}{10} = 5\dfrac{3}{5} \Rightarrow 5\dfrac{3}{5} > 5\dfrac{2}{5} \Rightarrow 5.6 > 5\dfrac{2}{5}$

> **다른 풀이**
> $5\dfrac{2}{5} = 5\dfrac{4}{10} = 5.4 \Rightarrow 5.6 > 5.4 \Rightarrow 5.6 > 5\dfrac{2}{5}$

116~117쪽 　2단계 개념 집중 연습

01 14, 15 / <　　　**02** 15, 16 / <
03 30, 27 / >　　　**04** 9, 8 / >
05 <　　　　　　　**06** <
07 >　　　　　　　**08** >
09 $\dfrac{2}{5}, \dfrac{4}{9}, \dfrac{1}{2}$　　**10** 3, 2 / >
11 7, 8 / <　　　　**12** 7, 0.7 / <
13 6, 0.6 / =　　　**14** >
15 >　　　　　　　**16** <
17 >　　　　　　　**18** <
19 >　　　　　　　**20** <

---

03 두 분모 9와 15의 최소공배수인 45를 공통분모로 하여 통분한 다음 크기를 비교합니다.

04 두 분모 4와 6의 최소공배수인 12를 공통분모로 하여 통분한 다음 크기를 비교합니다.

05 $\left(\dfrac{3}{5}, \dfrac{5}{8}\right) \Rightarrow \left(\dfrac{24}{40}, \dfrac{25}{40}\right) \Rightarrow \dfrac{3}{5} < \dfrac{5}{8}$

06 $\left(\dfrac{5}{12}, \dfrac{4}{9}\right) \Rightarrow \left(\dfrac{15}{36}, \dfrac{16}{36}\right) \Rightarrow \dfrac{5}{12} < \dfrac{4}{9}$

07 $\left(\dfrac{8}{15}, \dfrac{11}{25}\right) \Rightarrow \left(\dfrac{40}{75}, \dfrac{33}{75}\right) \Rightarrow \dfrac{8}{15} > \dfrac{11}{25}$

08 $\left(\dfrac{3}{8}, \dfrac{7}{24}\right) \Rightarrow \left(\dfrac{9}{24}, \dfrac{7}{24}\right) \Rightarrow \dfrac{3}{8} > \dfrac{7}{24}$

09 $\left(\dfrac{2}{5}, \dfrac{4}{9}\right) \Rightarrow \left(\dfrac{18}{45}, \dfrac{20}{45}\right) \Rightarrow \dfrac{2}{5} < \dfrac{4}{9}$

$\left(\dfrac{4}{9}, \dfrac{1}{2}\right) \Rightarrow \left(\dfrac{8}{18}, \dfrac{9}{18}\right) \Rightarrow \dfrac{4}{9} < \dfrac{1}{2}$

$\left(\dfrac{2}{5}, \dfrac{1}{2}\right) \Rightarrow \left(\dfrac{4}{10}, \dfrac{5}{10}\right) \Rightarrow \dfrac{2}{5} < \dfrac{1}{2}$

$\Rightarrow \dfrac{2}{5} < \dfrac{4}{9} < \dfrac{1}{2}$

10 $\left(\dfrac{9}{30}, \dfrac{14}{70}\right) \Rightarrow \left(\dfrac{9 \div 3}{30 \div 3}, \dfrac{14 \div 7}{70 \div 7}\right)$

$\Rightarrow \left(\dfrac{3}{10}, \dfrac{2}{10}\right) \Rightarrow \dfrac{9}{30} > \dfrac{14}{70}$

11 $\left(\dfrac{35}{50}, \dfrac{64}{80}\right) \Rightarrow \left(\dfrac{35 \div 5}{50 \div 5}, \dfrac{64 \div 8}{80 \div 8}\right)$

$\Rightarrow \left(\dfrac{7}{10}, \dfrac{8}{10}\right) \Rightarrow \dfrac{35}{50} < \dfrac{64}{80}$

14 $\dfrac{1}{5} = 0.2 \Rightarrow 0.4 > \dfrac{1}{5}$

15 $1\dfrac{1}{5} = 1.2 \Rightarrow 1.3 > 1\dfrac{1}{5}$

16 $0.55 = \dfrac{55}{100} = \dfrac{11}{20} \Rightarrow \dfrac{7}{20} < 0.55$

17 $\dfrac{45}{50} = \dfrac{9}{10} = 0.9 \Rightarrow \dfrac{45}{50} > 0.8$

18 $2\dfrac{32}{40} = 2\dfrac{8}{10} = 2.8 \Rightarrow 2.49 < 2\dfrac{32}{40}$

19 $1\dfrac{7}{20} = 1\dfrac{35}{100} = 1.35 \Rightarrow 1.37 > 1\dfrac{7}{20}$

20 $\dfrac{18}{30} = \dfrac{6}{10} = 0.6 \Rightarrow \dfrac{18}{30} < 0.7$

118~121쪽 3단계 익힘책 익히기

01  $/\ \dfrac{3}{5}, \dfrac{6}{10}$

02 예 $\dfrac{6}{9}$ ⋯ $\dfrac{2}{3}$ ⋯ $\dfrac{1}{3}$ ⋯ $/\ \dfrac{6}{9}, \dfrac{2}{3}$

03 (1) 10, 15　(2) 12, 6

04 (1) (왼쪽부터) 8, 8 / $\dfrac{2}{3}$　(2) 12, 12 / $\dfrac{3}{4}$

05 $\dfrac{6}{16}, \dfrac{9}{24}$ 에 ○표　**06** (1) $\dfrac{1}{4}$　(2) $\dfrac{2}{5}$

07 $\dfrac{2}{3}, \dfrac{5}{12}$ 에 ○표　**08** (1) 14, 20　(2) 18, 40

09 (1) (왼쪽부터) 10, $\dfrac{50}{80}$ / 8, $\dfrac{24}{80}$ / $\dfrac{50}{80}, \dfrac{24}{80}$

(2) (왼쪽부터) 5, $\dfrac{25}{40}$ / 4, $\dfrac{12}{40}$ / $\dfrac{25}{40}, \dfrac{12}{40}$

10 (1) $\dfrac{21}{36}, \dfrac{22}{36}$　(2) $\dfrac{15}{54}, \dfrac{20}{54}$

11 (1) 21, 24, <　(2) 9, 8, >

12 (1) (왼쪽부터) 2, 2 / $\dfrac{8}{10}$ / 0.8

(2) (왼쪽부터) 5, 5 / $\dfrac{5}{10}$ / 0.5

13 (1) <　(2) <　(3) >　(4) <

14 (1) $\dfrac{1}{3}, \dfrac{3}{5}, \dfrac{7}{10}$　(2) $\dfrac{5}{16}, \dfrac{3}{8}, \dfrac{17}{32}$

---

03 (1) $\dfrac{3}{5} = \dfrac{3 \times 2}{5 \times 2} = \dfrac{6}{10}$, $\dfrac{3}{5} = \dfrac{3 \times 3}{5 \times 3} = \dfrac{9}{15}$

(2) $\dfrac{24}{32} = \dfrac{24 \div 2}{32 \div 2} = \dfrac{12}{16}$, $\dfrac{24}{32} = \dfrac{24 \div 4}{32 \div 4} = \dfrac{6}{8}$

04 (1) 24와 16의 최대공약수인 8로 분모와 분자를 각각 나눕니다.

(2) 48과 36의 최대공약수인 12로 분모와 분자를 각각 나눕니다.

05 $\dfrac{6}{16} = \dfrac{6 \div 2}{16 \div 2} = \dfrac{3}{8}$, $\dfrac{9}{24} = \dfrac{9 \div 3}{24 \div 3} = \dfrac{3}{8}$

06 (1) $\dfrac{11}{44}=\dfrac{11\div11}{44\div11}=\dfrac{1}{4}$

(2) $\dfrac{28}{70}=\dfrac{28\div14}{70\div14}=\dfrac{2}{5}$

07 분모와 분자의 공약수가 1뿐인 분수를 찾습니다.

$\Rightarrow \dfrac{4}{6}=\dfrac{4\div2}{6\div2}=\dfrac{2}{3}, \dfrac{3}{9}=\dfrac{3\div3}{9\div3}=\dfrac{1}{3}$

08 (1) 두 분모의 곱인 $5\times7=35$를 공통분모로 하여 통분합니다.

$\left(\dfrac{2}{5}, \dfrac{4}{7}\right) \Rightarrow \left(\dfrac{2\times7}{5\times7}, \dfrac{4\times5}{7\times5}\right) \Rightarrow \left(\dfrac{14}{35}, \dfrac{20}{35}\right)$

(2) 두 분모의 곱인 $8\times6=48$을 공통분모로 하여 통분합니다.

$\left(\dfrac{3}{8}, \dfrac{5}{6}\right) \Rightarrow \left(\dfrac{3\times6}{8\times6}, \dfrac{5\times8}{6\times8}\right) \Rightarrow \left(\dfrac{18}{48}, \dfrac{40}{48}\right)$

09 (2)
$\begin{array}{r|cc} 2 & 8 & 10 \\ \hline & 4 & 5 \end{array}$ $\Rightarrow$ 최소공배수: $2\times4\times5=40$

10 (1)
$\begin{array}{r|cc} 2 & 12 & 18 \\ 3 & 6 & 9 \\ \hline & 2 & 3 \end{array}$ $\Rightarrow$ 최소공배수 : $2\times3\times2\times3=36$

$\left(\dfrac{7}{12}, \dfrac{11}{18}\right) \Rightarrow \left(\dfrac{7\times3}{12\times3}, \dfrac{11\times2}{18\times2}\right) \Rightarrow \left(\dfrac{21}{36}, \dfrac{22}{36}\right)$

(2)
$\begin{array}{r|cc} 3 & 18 & 27 \\ 3 & 6 & 9 \\ \hline & 2 & 3 \end{array}$ $\Rightarrow$ 최소공배수 : $3\times3\times2\times3=54$

$\left(\dfrac{5}{18}, \dfrac{10}{27}\right) \Rightarrow \left(\dfrac{5\times3}{18\times3}, \dfrac{10\times2}{27\times2}\right) \Rightarrow \left(\dfrac{15}{54}, \dfrac{20}{54}\right)$

13 (1) $\left(\dfrac{1}{2}, \dfrac{4}{7}\right) \Rightarrow \left(\dfrac{7}{14}, \dfrac{8}{14}\right) \Rightarrow \dfrac{1}{2}<\dfrac{4}{7}$

(2) $\left(\dfrac{8}{11}, \dfrac{5}{6}\right) \Rightarrow \left(\dfrac{48}{66}, \dfrac{55}{66}\right) \Rightarrow \dfrac{8}{11}<\dfrac{5}{6}$

(3) $3\dfrac{3}{4}=3.75 \Rightarrow 3.78>3\dfrac{3}{4}$

(4) $\dfrac{2}{5}=0.4 \Rightarrow \dfrac{2}{5}<0.9$

14 (1) $\left(\dfrac{3}{5}, \dfrac{1}{3}\right) \rightarrow \left(\dfrac{9}{15}>\dfrac{5}{15}\right),$

$\left(\dfrac{1}{3}, \dfrac{7}{10}\right) \rightarrow \left(\dfrac{10}{30}<\dfrac{21}{30}\right),$

$\left(\dfrac{3}{5}, \dfrac{7}{10}\right) \rightarrow \left(\dfrac{6}{10}<\dfrac{7}{10}\right)$

$\Rightarrow \dfrac{1}{3}<\dfrac{3}{5}<\dfrac{7}{10}$

(2) $\left(\dfrac{5}{16}, \dfrac{17}{32}\right) \rightarrow \left(\dfrac{10}{32}<\dfrac{17}{32}\right),$

$\left(\dfrac{17}{32}, \dfrac{3}{8}\right) \rightarrow \left(\dfrac{17}{32}>\dfrac{12}{32}\right),$

$\left(\dfrac{5}{16}, \dfrac{3}{8}\right) \rightarrow \left(\dfrac{5}{16}<\dfrac{6}{16}\right)$

$\Rightarrow \dfrac{5}{16}<\dfrac{3}{8}<\dfrac{17}{32}$

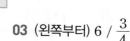

122~124쪽 4단계 단원 평가

01 / 같은에 ○표

02 (왼쪽부터) 4, $\dfrac{12}{20}$

03 (왼쪽부터) 6 / $\dfrac{3}{4}$

04 (왼쪽부터) 8, 21, 16

05 ②

06 $\dfrac{3}{4}$

07 (교차 연결선)

08 $\dfrac{33}{44}, \dfrac{8}{44}$

09 $\dfrac{14}{50}, \dfrac{27}{50}$

10 21, 20 / >

11 ©

12 <

13 <

14 2개

15 63, 126, 189

16 ④

17 $\dfrac{3}{10}, \dfrac{7}{12}, \dfrac{5}{8}$

18 (위부터) $\dfrac{4}{7}, \dfrac{3}{8}, \dfrac{3}{8}$

19 1.7, $1\dfrac{1}{2}$, 0.8, $\dfrac{3}{5}$

20 8개

---

01 그림에서 색칠한 부분의 크기가 같으므로 $\dfrac{2}{6}$와 $\dfrac{3}{9}$은 크기가 같은 분수입니다.

02 분모에 4를 곱했으므로 분자에도 똑같이 4를 곱합니다.

03 분자를 6으로 나누었으므로 분모도 똑같이 6으로 나눕니다.

04 분모와 분자에 각각 0이 아닌 같은 수를 곱해도 크기는 같습니다.

06 분모와 분자의 최대공약수로 분모와 분자를 각각 나눕니다.

$$\Rightarrow \frac{42}{56}=\frac{42\div14}{56\div14}=\frac{3}{4}$$

07 $\frac{20}{25}=\frac{20\div5}{25\div5}=\frac{4}{5}$, $\frac{9}{12}=\frac{9\div3}{12\div3}=\frac{3}{4}$,

$$\frac{24}{60}=\frac{24\div12}{60\div12}=\frac{2}{5}$$

08 두 분모의 곱인 $4\times11=44$를 공통분모로 하여 통분합니다.

$$\left(\frac{3}{4},\frac{2}{11}\right)\Rightarrow\left(\frac{3\times11}{4\times11},\frac{2\times4}{11\times4}\right)\Rightarrow\left(\frac{33}{44},\frac{8}{44}\right)$$

09
$$\begin{array}{r}5\overline{)\,25\quad50}\\5\overline{)\,5\quad10}\\\hline1\quad2\end{array}\Rightarrow\text{최소공배수: }5\times5\times1\times2=50$$

$$\left(\frac{7}{25},\frac{27}{50}\right)\Rightarrow\left(\frac{7\times2}{25\times2},\frac{27}{50}\right)\Rightarrow\left(\frac{14}{50},\frac{27}{50}\right)$$

10 $\frac{7}{18}=\frac{7\times3}{18\times3}=\frac{21}{54}$, $\frac{10}{27}=\frac{10\times2}{27\times2}=\frac{20}{54}$

$$\Rightarrow\frac{7}{18}>\frac{10}{27}$$

11 ㉠ $\frac{36\div2}{54\div2}=\frac{18}{27}$ ㉡ $\frac{36\div3}{54\div3}=\frac{12}{18}$

㉣ $\frac{36\div6}{54\div6}=\frac{6}{9}$

12 $\left(\frac{9}{20},\frac{11}{24}\right)\Rightarrow\left(\frac{54}{120},\frac{55}{120}\right)\Rightarrow\frac{9}{20}<\frac{11}{24}$

13 $\frac{48}{60}=\frac{8}{10}=0.8\Rightarrow\frac{48}{60}<0.9$

14 분모와 분자의 공약수가 1뿐인 분수는 $\frac{5}{8}$, $\frac{2}{9}$입니다.

$$\frac{14}{24}=\frac{7}{12},\ \frac{18}{81}=\frac{2}{9},\ \frac{7}{21}=\frac{1}{3}$$

15 $\frac{3}{7}$과 $\frac{2}{9}$를 통분할 때 공통분모가 될 수 있는 수는 7과 9의 공배수입니다.

⇨ 7과 9의 최소공배수는 63이므로 공통분모가 될 수 있는 수는 63의 배수인 63, 126, 189……입니다.

16 36과 60의 공약수가 아닌 것을 찾습니다.
36과 60의 공약수: 1, 2, 3, 4, 6, 12

17 두 분수씩 차례로 통분하여 비교합니다.

$$\left(\frac{5}{8},\frac{3}{10}\right)\Rightarrow\left(\frac{25}{40},\frac{12}{40}\right)\Rightarrow\frac{5}{8}>\frac{3}{10}$$

$$\left(\frac{3}{10},\frac{7}{12}\right)\Rightarrow\left(\frac{18}{60},\frac{35}{60}\right)\Rightarrow\frac{3}{10}<\frac{7}{12}$$

$$\left(\frac{5}{8},\frac{7}{12}\right)\Rightarrow\left(\frac{15}{24},\frac{14}{24}\right)\Rightarrow\frac{5}{8}>\frac{7}{12}$$

따라서 작은 수부터 차례로 쓰면 $\frac{3}{10}$, $\frac{7}{12}$, $\frac{5}{8}$입니다.

18 $\left(\frac{3}{5},\frac{4}{7}\right)\Rightarrow\left(\frac{21}{35},\frac{20}{35}\right)\Rightarrow\frac{3}{5}>\frac{4}{7}$,

$$\left(\frac{5}{6},\frac{3}{8}\right)\Rightarrow\left(\frac{20}{24},\frac{9}{24}\right)\Rightarrow\frac{5}{6}>\frac{3}{8}$$,

$$\left(\frac{4}{7},\frac{3}{8}\right)\Rightarrow\left(\frac{32}{56},\frac{21}{56}\right)\Rightarrow\frac{4}{7}>\frac{3}{8}$$

19 $1\frac{1}{2}=1.5$, $\frac{3}{5}=0.6\Rightarrow1.7>1\frac{1}{2}>0.8>\frac{3}{5}$

20 분모가 15인 진분수 중 분모와 분자의 공약수가 1뿐인 분수를 찾습니다.

$$\frac{1}{15},\frac{2}{15},\frac{4}{15},\frac{7}{15},\frac{8}{15},\frac{11}{15},\frac{13}{15},\frac{14}{15}\Rightarrow8\text{개}$$

125쪽　　　　　　　　　　스스로 학습장

1 ○	2 ○	3 ×
4 ○	5 ○	6 ○
7 ○	8 ×	9 ×

1 $\frac{2}{6}=\frac{2\times3}{6\times3}=\frac{6}{18}$

3 $\frac{12}{48}=\frac{12\div12}{48\div12}=\frac{1}{4}$

6 $\left(\frac{1}{4},\frac{4}{7}\right)\Rightarrow\left(\frac{1\times7}{4\times7},\frac{4\times4}{7\times4}\right)\Rightarrow\left(\frac{7}{28},\frac{16}{28}\right)$

7 $\left(\frac{7}{12},\frac{5}{8}\right)\Rightarrow\left(\frac{7\times2}{12\times2},\frac{5\times3}{8\times3}\right)\Rightarrow\left(\frac{14}{24},\frac{15}{24}\right)$

8 $\frac{12}{40}=\frac{3}{10}=0.3\Rightarrow\frac{12}{40}<0.8$

9 $\left(\frac{16}{24},\frac{5}{8}\right)\Rightarrow\left(\frac{16}{24},\frac{15}{24}\right)\Rightarrow\frac{16}{24}>\frac{5}{8}$

5. 분수의 덧셈과 뺄셈

128~129쪽   준비 학습

1 (1) 4, 9, $1\dfrac{3}{6}$ (2) 4, 3

2 (1) $\dfrac{2}{7}$ (2) $\dfrac{5}{9}$

3 $8\dfrac{1}{9}$

4 $5-2\dfrac{3}{7}=\dfrac{35}{7}-\dfrac{17}{7}=\dfrac{18}{7}=2\dfrac{4}{7}$

5 $2\dfrac{4}{8}\left(=2\dfrac{1}{2}\right)$

6 $\dfrac{18}{72},\ \dfrac{32}{72}$

7 $\dfrac{20}{24},\ \dfrac{21}{24}$

8 $<$

---

2 (1) $1-\dfrac{5}{7}=\dfrac{7}{7}-\dfrac{5}{7}=\dfrac{2}{7}$

   (2) $1-\dfrac{4}{9}=\dfrac{9}{9}-\dfrac{4}{9}=\dfrac{5}{9}$

3 $3\dfrac{7}{9}+4\dfrac{3}{9}=(3+4)+\left(\dfrac{7}{9}+\dfrac{3}{9}\right)$
$\qquad\qquad =7+1\dfrac{1}{9}=8\dfrac{1}{9}$

5 $5\dfrac{1}{8}-2\dfrac{5}{8}=4\dfrac{9}{8}-2\dfrac{5}{8}=2\dfrac{4}{8}\left(=2\dfrac{1}{2}\right)$

6 $\left(\dfrac{2}{8},\dfrac{4}{9}\right)\Rightarrow\left(\dfrac{2\times9}{8\times9},\dfrac{4\times8}{9\times8}\right)\Rightarrow\left(\dfrac{18}{72},\dfrac{32}{72}\right)$

7 $\left(\dfrac{5}{6},\dfrac{7}{8}\right)\Rightarrow\left(\dfrac{5\times4}{6\times4},\dfrac{7\times3}{8\times3}\right)\Rightarrow\left(\dfrac{20}{24},\dfrac{21}{24}\right)$

8 $\left(\dfrac{4}{5},\dfrac{7}{8}\right)\Rightarrow\left(\dfrac{32}{40},\dfrac{35}{40}\right)\Rightarrow\dfrac{4}{5}<\dfrac{7}{8}$

131쪽   1단계 교과서 개념

1 예

(위부터) 3 / 3, 5

2 방법1 8, 24, 34, 17   방법2 4, 12, 17

3 $\dfrac{17}{20}$ 4 $\dfrac{9}{20}$

---

1 $\dfrac{2}{9}$와 $\dfrac{1}{3}$을 똑같이 9로 나누어진 막대에 색칠한 후 계산합니다.

2 방법1 두 분모의 곱을 공통분모로 하여 통분한 후 계산합니다.
   방법2 두 분모의 최소공배수를 공통분모로 하여 통분한 후 계산합니다.

3 $\dfrac{3}{5}+\dfrac{1}{4}=\dfrac{12}{20}+\dfrac{5}{20}=\dfrac{17}{20}$

4 $\dfrac{1}{10}+\dfrac{7}{20}=\dfrac{2}{20}+\dfrac{7}{20}=\dfrac{9}{20}$

133쪽   1단계 교과서 개념

1 예

/ 4, 4, 9, 1

2 방법1 6, 18, 58, $1\dfrac{10}{48}$, $1\dfrac{5}{24}$

   방법2 3, 9, 29, $1\dfrac{5}{24}$

3 $1\dfrac{1}{18}$ 4 $1\dfrac{17}{30}$

---

2 방법1 두 분모의 곱을 공통분모로 하여 통분한 후 계산합니다.
   방법2 두 분모의 최소공배수를 공통분모로 하여 통분한 후 계산합니다.

3 $\dfrac{7}{9}+\dfrac{5}{18}=\dfrac{14}{18}+\dfrac{5}{18}=\dfrac{19}{18}=1\dfrac{1}{18}$

4 $\dfrac{7}{10}+\dfrac{13}{15}=\dfrac{21}{30}+\dfrac{26}{30}=\dfrac{47}{30}=1\dfrac{17}{30}$

134~135쪽 2단계 개념 집중 연습

01 2, 3, 4, 3, 7

02 5, 4, 5, 8, 13

03 $\dfrac{7}{9}$

04 $\dfrac{25}{28}$

05 $\dfrac{29}{36}$

06 $\dfrac{7}{12}$

07 $\dfrac{11}{24}$

08 $\dfrac{29}{40}$

09 $\dfrac{4}{9}$

10 $\dfrac{9}{10}$

11 3, 2, 15, 10, 25, $\boxed{1}\dfrac{7}{18}$

12 7, 3, 14, 15, 29, $\boxed{1}\dfrac{8}{21}$

13 $1\dfrac{7}{22}$

14 $1\dfrac{11}{15}$

15 $1\dfrac{5}{24}$

16 $1\dfrac{7}{40}$

17 $1\dfrac{3}{10}$

18 $1\dfrac{1}{3}$

19 $1\dfrac{1}{9}$

20 $1\dfrac{17}{60}$

01 두 분모의 최소공배수인 18을 공통분모로 하여 통분한 후 계산합니다.

02 두 분모의 곱인 20을 공통분모로 하여 통분한 후 계산합니다.

03 $\dfrac{2}{3}+\dfrac{1}{9}=\dfrac{6}{9}+\dfrac{1}{9}=\dfrac{7}{9}$

04 $\dfrac{1}{7}+\dfrac{3}{4}=\dfrac{4}{28}+\dfrac{21}{28}=\dfrac{25}{28}$

05 $\dfrac{2}{9}+\dfrac{7}{12}=\dfrac{8}{36}+\dfrac{21}{36}=\dfrac{29}{36}$

06 $\dfrac{1}{3}+\dfrac{1}{4}=\dfrac{4}{12}+\dfrac{3}{12}=\dfrac{7}{12}$

07 $\dfrac{1}{12}+\dfrac{3}{8}=\dfrac{2}{24}+\dfrac{9}{24}=\dfrac{11}{24}$

08 $\dfrac{1}{10}+\dfrac{5}{8}=\dfrac{4}{40}+\dfrac{25}{40}=\dfrac{29}{40}$

09 $\dfrac{1}{6}+\dfrac{5}{18}=\dfrac{3}{18}+\dfrac{5}{18}=\dfrac{8}{18}=\dfrac{4}{9}$

10 $\dfrac{1}{2}+\dfrac{2}{5}=\dfrac{5}{10}+\dfrac{4}{10}=\dfrac{9}{10}$

13 $\dfrac{9}{11}+\dfrac{1}{2}=\dfrac{18}{22}+\dfrac{11}{22}=\dfrac{29}{22}=1\dfrac{7}{22}$

14 $\dfrac{9}{10}+\dfrac{5}{6}=\dfrac{27}{30}+\dfrac{25}{30}=\dfrac{52}{30}=1\dfrac{22}{30}=1\dfrac{11}{15}$

15 $\dfrac{5}{8}+\dfrac{7}{12}=\dfrac{15}{24}+\dfrac{14}{24}=\dfrac{29}{24}=1\dfrac{5}{24}$

16 $\dfrac{3}{10}+\dfrac{7}{8}=\dfrac{12}{40}+\dfrac{35}{40}=\dfrac{47}{40}=1\dfrac{7}{40}$

17 $\dfrac{2}{5}+\dfrac{9}{10}=\dfrac{4}{10}+\dfrac{9}{10}=\dfrac{13}{10}=1\dfrac{3}{10}$

18 $\dfrac{3}{4}+\dfrac{7}{12}=\dfrac{9}{12}+\dfrac{7}{12}=\dfrac{16}{12}=1\dfrac{4}{12}=1\dfrac{1}{3}$

19 $\dfrac{4}{9}+\dfrac{2}{3}=\dfrac{4}{9}+\dfrac{6}{9}=\dfrac{10}{9}=1\dfrac{1}{9}$

20 $\dfrac{7}{12}+\dfrac{7}{10}=\dfrac{35}{60}+\dfrac{42}{60}=\dfrac{77}{60}=1\dfrac{17}{60}$

137쪽 1단계 교과서 개념

1 (1) 예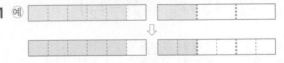

/ 4, 3　(2) 4, 3, 4, 3, 3, 7, 3, 1, $\boxed{4}\dfrac{1}{6}$

2 $3\dfrac{4}{5}+2\dfrac{1}{4}=\dfrac{19}{5}+\dfrac{9}{4}=\dfrac{76}{20}+\dfrac{45}{20}=\dfrac{121}{20}=6\dfrac{1}{20}$

3 $9\dfrac{1}{10}$

4 $8\dfrac{7}{12}$

3 $3\dfrac{7}{10}+5\dfrac{2}{5}=3\dfrac{7}{10}+5\dfrac{4}{10}=(3+5)+\left(\dfrac{7}{10}+\dfrac{4}{10}\right)$
$=8+1\dfrac{1}{10}=9\dfrac{1}{10}$

4 $3\dfrac{3}{4}+4\dfrac{5}{6}=3\dfrac{9}{12}+4\dfrac{10}{12}=(3+4)+\left(\dfrac{9}{12}+\dfrac{10}{12}\right)$
$=7+1\dfrac{7}{12}=8\dfrac{7}{12}$

139쪽 1단계 교과서 개념

1 예

/ 2, 3, 1

2 방법1 8, 40, 44, 11　방법2 2, 10, 11

3 $\dfrac{1}{14}$

4 $\dfrac{16}{27}$

3 $\dfrac{1}{2}-\dfrac{3}{7}=\dfrac{7}{14}-\dfrac{6}{14}=\dfrac{1}{14}$

4 $\dfrac{7}{9}-\dfrac{5}{27}=\dfrac{21}{27}-\dfrac{5}{27}=\dfrac{16}{27}$

140~141쪽 2단계 개념 집중 연습

01 3, 4, 3, 4, 1, $\boxed{3}\dfrac{\boxed{1}}{6}$

02 11, 9, 22, 27, 49, $\boxed{4}\dfrac{\boxed{1}}{12}$　　**03** $3\dfrac{2}{21}$

04 $4\dfrac{3}{10}$　　**05** $4\dfrac{19}{36}$　　**06** $5\dfrac{3}{20}$　　**07** $4\dfrac{13}{28}$

08 $3\dfrac{19}{72}$　　**09** $6\dfrac{1}{4}$　　**10** $3\dfrac{7}{12}$

11 5, 30, 7, 23　　　　**12** 2, 3, 22, 9, 13

13 $\dfrac{3}{8}$　　**14** $\dfrac{3}{14}$　　**15** $\dfrac{1}{3}$　　**16** $\dfrac{11}{18}$

17 $\dfrac{3}{4}$　　**18** $\dfrac{13}{36}$　　**19** $\dfrac{17}{24}$　　**20** $\dfrac{19}{30}$

03 $1\dfrac{3}{7}+1\dfrac{2}{3}=1\dfrac{9}{21}+1\dfrac{14}{21}=(1+1)+\left(\dfrac{9}{21}+\dfrac{14}{21}\right)$
$=2+\dfrac{23}{21}=2+1\dfrac{2}{21}=3\dfrac{2}{21}$

04 $2\dfrac{1}{2}+1\dfrac{4}{5}=2\dfrac{5}{10}+1\dfrac{8}{10}=(2+1)+\left(\dfrac{5}{10}+\dfrac{8}{10}\right)$
$=3+\dfrac{13}{10}=3+1\dfrac{3}{10}=4\dfrac{3}{10}$

05 $2\dfrac{7}{9}+1\dfrac{3}{4}=2\dfrac{28}{36}+1\dfrac{27}{36}=(2+1)+\left(\dfrac{28}{36}+\dfrac{27}{36}\right)$
$=3+\dfrac{55}{36}=3+1\dfrac{19}{36}=4\dfrac{19}{36}$

06 $2\dfrac{2}{5}+2\dfrac{3}{4}=2\dfrac{8}{20}+2\dfrac{15}{20}=(2+2)+\left(\dfrac{8}{20}+\dfrac{15}{20}\right)$
$=4+\dfrac{23}{20}=4+1\dfrac{3}{20}=5\dfrac{3}{20}$

07 $2\dfrac{3}{4}+1\dfrac{5}{7}=2\dfrac{21}{28}+1\dfrac{20}{28}=(2+1)+\left(\dfrac{21}{28}+\dfrac{20}{28}\right)$
$=3+\dfrac{41}{28}=3+1\dfrac{13}{28}=4\dfrac{13}{28}$

08 $1\dfrac{3}{8}+1\dfrac{8}{9}=1\dfrac{27}{72}+1\dfrac{64}{72}=(1+1)+\left(\dfrac{27}{72}+\dfrac{64}{72}\right)$
$=2+\dfrac{91}{72}=2+1\dfrac{19}{72}=3\dfrac{19}{72}$

09 $2\dfrac{1}{2}+3\dfrac{3}{4}=2\dfrac{2}{4}+3\dfrac{3}{4}=(2+3)+\left(\dfrac{2}{4}+\dfrac{3}{4}\right)$
$=5+\dfrac{5}{4}=5+1\dfrac{1}{4}=6\dfrac{1}{4}$

10 $1\dfrac{3}{4}+1\dfrac{5}{6}=1\dfrac{9}{12}+1\dfrac{10}{12}=(1+1)+\left(\dfrac{9}{12}+\dfrac{10}{12}\right)$
$=2+\dfrac{19}{12}=2+1\dfrac{7}{12}=3\dfrac{7}{12}$

13 $\dfrac{3}{4}-\dfrac{3}{8}=\dfrac{6}{8}-\dfrac{3}{8}=\dfrac{3}{8}$

14 $\dfrac{5}{7}-\dfrac{1}{2}=\dfrac{10}{14}-\dfrac{7}{14}=\dfrac{3}{14}$

15 $\dfrac{7}{12}-\dfrac{1}{4}=\dfrac{7}{12}-\dfrac{3}{12}=\dfrac{4}{12}=\dfrac{1}{3}$

16 $\dfrac{5}{6}-\dfrac{2}{9}=\dfrac{15}{18}-\dfrac{4}{18}=\dfrac{11}{18}$

17 $\dfrac{9}{10}-\dfrac{3}{20}=\dfrac{18}{20}-\dfrac{3}{20}=\dfrac{15}{20}=\dfrac{3}{4}$

18 $\dfrac{11}{12}-\dfrac{5}{9}=\dfrac{33}{36}-\dfrac{20}{36}=\dfrac{13}{36}$

19 $\dfrac{5}{6}>\dfrac{1}{8}$이므로 $\dfrac{5}{6}-\dfrac{1}{8}=\dfrac{20}{24}-\dfrac{3}{24}=\dfrac{17}{24}$

20 $\dfrac{14}{15}>\dfrac{3}{10}$이므로 $\dfrac{14}{15}-\dfrac{3}{10}=\dfrac{28}{30}-\dfrac{9}{30}=\dfrac{19}{30}$

143쪽 1단계 교과서 개념

1 방법1 2, 2, 1, $\boxed{1}\dfrac{\boxed{1}}{4}$　　방법2 6, 5, $\boxed{1}\dfrac{\boxed{1}}{4}$

2 $3\dfrac{3}{5}-1\dfrac{1}{6}=\dfrac{18}{5}-\dfrac{7}{6}=\dfrac{108}{30}-\dfrac{35}{30}=\dfrac{73}{30}=2\dfrac{13}{30}$

3 $\dfrac{3}{10}$　　　　　　　　　　**4** $1\dfrac{10}{63}$

1 방법1 통분한 후 자연수는 자연수끼리, 분수는 분수끼리 계산합니다.
방법2 대분수를 가분수로 나타내어 통분한 후 계산합니다.

3 $1\dfrac{9}{10}-1\dfrac{3}{5}=1\dfrac{9}{10}-1\dfrac{6}{10}=\dfrac{3}{10}$

4 $3\dfrac{5}{7}-2\dfrac{5}{9}=3\dfrac{45}{63}-2\dfrac{35}{63}=(3-2)+\left(\dfrac{45}{63}-\dfrac{35}{63}\right)$
$=1+\dfrac{10}{63}=1\dfrac{10}{63}$

145쪽
1단계 교과서 개념

1 방법1 8, 8, 3, 5 방법2 3, 9, 5

2 $2\dfrac{14}{15}$　　3 $3\dfrac{7}{20}$　　4 $2\dfrac{22}{35}$　　5 $\dfrac{7}{10}$

---

2 $4\dfrac{1}{3}-1\dfrac{2}{5}=4\dfrac{5}{15}-1\dfrac{6}{15}=3\dfrac{20}{15}-1\dfrac{6}{15}$
$=2+\dfrac{14}{15}=2\dfrac{14}{15}$

3 $7\dfrac{1}{10}-3\dfrac{3}{4}=7\dfrac{2}{20}-3\dfrac{15}{20}=6\dfrac{22}{20}-3\dfrac{15}{20}$
$=3+\dfrac{7}{20}=3\dfrac{7}{20}$

4 $5\dfrac{3}{7}-2\dfrac{4}{5}=5\dfrac{15}{35}-2\dfrac{28}{35}=4\dfrac{50}{35}-2\dfrac{28}{35}$
$=2+\dfrac{22}{35}=2\dfrac{22}{35}$

5 $2\dfrac{2}{5}-1\dfrac{7}{10}=2\dfrac{4}{10}-1\dfrac{7}{10}=1\dfrac{14}{10}-1\dfrac{7}{10}=\dfrac{7}{10}$

146~147쪽
2단계 개념 집중 연습

01 8, 3, 8, 5, $1\boxed{\dfrac{5}{10}}$, $1\dfrac{1}{2}$

02 5, 15, 17, $1\boxed{\dfrac{5}{12}}$

03 $3\dfrac{3}{14}$　　04 $1\dfrac{1}{3}$　　05 $1\dfrac{13}{35}$　　06 $1\dfrac{11}{24}$

07 $3\dfrac{1}{18}$　　08 $2\dfrac{4}{21}$　　09 $1\dfrac{9}{20}$　　10 $3\dfrac{2}{15}$

11 10, 10, 10, 8, $1\boxed{\dfrac{8}{15}}$

12 21, 9, 105, 72, 33

13 $2\dfrac{23}{40}$　　14 $2\dfrac{9}{20}$　　15 $1\dfrac{11}{24}$　　16 $1\dfrac{16}{21}$

17 $\dfrac{3}{10}$　　18 $1\dfrac{7}{12}$　　19 $2\dfrac{5}{9}$　　20 $1\dfrac{17}{20}$

---

03 $4\dfrac{1}{2}-1\dfrac{2}{7}=4\dfrac{7}{14}-1\dfrac{4}{14}=(4-1)+\left(\dfrac{7}{14}-\dfrac{4}{14}\right)$
$=3+\dfrac{3}{14}=3\dfrac{3}{14}$

04 $3\dfrac{5}{6}-2\dfrac{1}{2}=3\dfrac{5}{6}-2\dfrac{3}{6}=(3-2)+\left(\dfrac{5}{6}-\dfrac{3}{6}\right)$
$=1+\dfrac{2}{6}=1\dfrac{2}{6}=1\dfrac{1}{3}$

05 $2\dfrac{4}{7}-1\dfrac{1}{5}=2\dfrac{20}{35}-1\dfrac{7}{35}=(2-1)+\left(\dfrac{20}{35}-\dfrac{7}{35}\right)$
$=1+\dfrac{13}{35}=1\dfrac{13}{35}$

06 $4\dfrac{5}{8}-3\dfrac{1}{6}=4\dfrac{15}{24}-3\dfrac{4}{24}=(4-3)+\left(\dfrac{15}{24}-\dfrac{4}{24}\right)$
$=1+\dfrac{11}{24}=1\dfrac{11}{24}$

07 $5\dfrac{8}{9}-2\dfrac{5}{6}=5\dfrac{16}{18}-2\dfrac{15}{18}=(5-2)+\left(\dfrac{16}{18}-\dfrac{15}{18}\right)$
$=3+\dfrac{1}{18}=3\dfrac{1}{18}$

08 $3\dfrac{1}{3}-1\dfrac{1}{7}=3\dfrac{7}{21}-1\dfrac{3}{21}=(3-1)+\left(\dfrac{7}{21}-\dfrac{3}{21}\right)$
$=2+\dfrac{4}{21}=2\dfrac{4}{21}$

09 $2\dfrac{7}{10}-1\dfrac{1}{4}=2\dfrac{14}{20}-1\dfrac{5}{20}=(2-1)+\left(\dfrac{14}{20}-\dfrac{5}{20}\right)$
$=1+\dfrac{9}{20}=1\dfrac{9}{20}$

10 $4\dfrac{11}{15}-1\dfrac{3}{5}=4\dfrac{11}{15}-1\dfrac{9}{15}=(4-1)+\left(\dfrac{11}{15}-\dfrac{9}{15}\right)$
$=3+\dfrac{2}{15}=3\dfrac{2}{15}$

13 $4\dfrac{9}{20}-1\dfrac{7}{8}=4\dfrac{18}{40}-1\dfrac{35}{40}=3\dfrac{58}{40}-1\dfrac{35}{40}=2\dfrac{23}{40}$

14 $5\dfrac{1}{5}-2\dfrac{3}{4}=5\dfrac{4}{20}-2\dfrac{15}{20}=4\dfrac{24}{20}-2\dfrac{15}{20}=2\dfrac{9}{20}$

15 $4\dfrac{1}{8}-2\dfrac{2}{3}=4\dfrac{3}{24}-2\dfrac{16}{24}=3\dfrac{27}{24}-2\dfrac{16}{24}=1\dfrac{11}{24}$

16 $3\dfrac{1}{3}-1\dfrac{4}{7}=3\dfrac{7}{21}-1\dfrac{12}{21}=2\dfrac{28}{21}-1\dfrac{12}{21}=1\dfrac{16}{21}$

17 $2\dfrac{1}{5}-1\dfrac{9}{10}=2\dfrac{2}{10}-1\dfrac{9}{10}=1\dfrac{12}{10}-1\dfrac{9}{10}=\dfrac{3}{10}$

18 $4\dfrac{1}{3}-2\dfrac{3}{4}=4\dfrac{4}{12}-2\dfrac{9}{12}=3\dfrac{16}{12}-2\dfrac{9}{12}=1\dfrac{7}{12}$

19 $5\dfrac{2}{9}-2\dfrac{2}{3}=5\dfrac{2}{9}-2\dfrac{6}{9}=4\dfrac{11}{9}-2\dfrac{6}{9}=2\dfrac{5}{9}$

20 $3\dfrac{1}{5}-1\dfrac{7}{20}=3\dfrac{4}{20}-1\dfrac{7}{20}=2\dfrac{24}{20}-1\dfrac{7}{20}=1\dfrac{17}{20}$

01 예

(위부터) 2 / 2, 5

02 예

(위부터) 3 / 3, 2, 1

03 (1) 3, 6, 8, 14　(2) 4, 3, 16, 21, 37, $1\dfrac{1}{36}$

04 (1) $7\dfrac{5}{18}$　(2) $6\dfrac{5}{14}$　(3) $\dfrac{13}{18}$　(4) $1\dfrac{1}{2}$

05 (1) $\dfrac{5}{9}+\dfrac{1}{4}=\dfrac{5\times4}{9\times4}+\dfrac{1\times9}{4\times9}=\dfrac{20}{36}+\dfrac{9}{36}=\dfrac{29}{36}$

(2) $4\dfrac{5}{6}-1\dfrac{1}{4}=\dfrac{29}{6}-\dfrac{5}{4}=\dfrac{58}{12}-\dfrac{15}{12}=\dfrac{43}{12}=3\dfrac{7}{12}$

06

07 방법1 $2\dfrac{3}{5}+2\dfrac{4}{7}=2\dfrac{21}{35}+2\dfrac{20}{35}$

$\qquad\qquad=(2+2)+\left(\dfrac{21}{35}+\dfrac{20}{35}\right)$

$\qquad\qquad=4+\dfrac{41}{35}=4+1\dfrac{6}{35}=5\dfrac{6}{35}$

방법2 $2\dfrac{3}{5}+2\dfrac{4}{7}=\dfrac{13}{5}+\dfrac{18}{7}=\dfrac{91}{35}+\dfrac{90}{35}$

$\qquad\qquad=\dfrac{181}{35}=5\dfrac{6}{35}$

08 $>$

09 방법1 $4\dfrac{3}{5}-1\dfrac{1}{3}=4\dfrac{9}{15}-1\dfrac{5}{15}$

$\qquad\qquad=(4-1)+\left(\dfrac{9}{15}-\dfrac{5}{15}\right)$

$\qquad\qquad=3+\dfrac{4}{15}=3\dfrac{4}{15}$

방법2 $4\dfrac{3}{5}-1\dfrac{1}{3}=\dfrac{23}{5}-\dfrac{4}{3}=\dfrac{69}{15}-\dfrac{20}{15}=\dfrac{49}{15}=3\dfrac{4}{15}$

10 방법1 $3\dfrac{1}{4}-2\dfrac{2}{3}=3\dfrac{3}{12}-2\dfrac{8}{12}=2\dfrac{15}{12}-2\dfrac{8}{12}=\dfrac{7}{12}$

방법2 $3\dfrac{1}{4}-2\dfrac{2}{3}=\dfrac{13}{4}-\dfrac{8}{3}=\dfrac{39}{12}-\dfrac{32}{12}=\dfrac{7}{12}$

11 $1\dfrac{23}{40}$ kg　　**12** $3\dfrac{13}{30}$컵

04 (1) $4\dfrac{5}{6}+2\dfrac{4}{9}=4\dfrac{15}{18}+2\dfrac{8}{18}=6+\dfrac{23}{18}$

$\qquad\qquad=6+1\dfrac{5}{18}=7\dfrac{5}{18}$

(2) $3\dfrac{4}{7}+2\dfrac{11}{14}=3\dfrac{8}{14}+2\dfrac{11}{14}=5+\dfrac{19}{14}$

$\qquad\qquad=5+1\dfrac{5}{14}=6\dfrac{5}{14}$

(3) $4\dfrac{5}{9}-3\dfrac{5}{6}=4\dfrac{10}{18}-3\dfrac{15}{18}=3\dfrac{28}{18}-3\dfrac{15}{18}=\dfrac{13}{18}$

(4) $3\dfrac{1}{7}-1\dfrac{9}{14}=3\dfrac{2}{14}-1\dfrac{9}{14}=2\dfrac{16}{14}-1\dfrac{9}{14}$

$\qquad\qquad=1\dfrac{7}{14}=1\dfrac{1}{2}$

06 $\dfrac{5}{6}+\dfrac{3}{4}=1\dfrac{7}{12}$, $\dfrac{7}{12}+\dfrac{5}{6}=1\dfrac{5}{12}$, $\dfrac{7}{8}+\dfrac{11}{12}=1\dfrac{19}{24}$

08 $\dfrac{13}{15}-\dfrac{4}{9}=\dfrac{19}{45}$, $\dfrac{11}{15}-\dfrac{1}{3}=\dfrac{6}{15}\left(=\dfrac{18}{45}\right)$ $\Rightarrow$ $\dfrac{19}{45}>\dfrac{18}{45}$

11 (딸기와 방울토마토의 무게)$=\dfrac{7}{8}+\dfrac{7}{10}=1\dfrac{23}{40}$ (kg)

12 (더 필요한 우유의 양)$=4\dfrac{3}{5}-1\dfrac{1}{6}=3\dfrac{13}{30}$ (컵)

01 5, 2, 7　　**02** 6, 8, 30, 8, 38, 19

03 3, $\dfrac{1\times\boxed{4}}{6\times\boxed{4}}$, 15, 4, 19

04 12, 15, 2, 12, 15, 27, $4\dfrac{\boxed{7}}{20}$

05 ④　　**06** $\dfrac{35}{36}$　　**07** $\dfrac{4}{35}$

08 $1\dfrac{3}{4}+1\dfrac{5}{6}=\dfrac{7}{4}+\dfrac{11}{6}=\dfrac{21}{12}+\dfrac{22}{12}=\dfrac{43}{12}=3\dfrac{7}{12}$

09 $1\dfrac{13}{40}$　　**10** ( )(○)　　**11** $3\dfrac{5}{24}$

12 　　**13** $>$　　**14** $1\dfrac{25}{56}$, $7\dfrac{2}{15}$

15 $2\dfrac{17}{42}$　　**16** $6\dfrac{1}{4}$ m　　**17** $4\dfrac{9}{20}$

18 $23\dfrac{6}{7}-20\dfrac{4}{5}=3\dfrac{2}{35}$ / $3\dfrac{2}{35}$ cm

19 $1\dfrac{17}{63}$ 컵　　**20** $4\dfrac{6}{35}$

05 두 분모의 공배수를 공통분모로 하여 통분해야 합니다.

$\Rightarrow$ 12와 9의 공배수: 36, 72, 108……

06 $\dfrac{2}{9}+\dfrac{3}{4}=\dfrac{8}{36}+\dfrac{27}{36}=\dfrac{35}{36}$

07 $\dfrac{5}{7}-\dfrac{3}{5}=\dfrac{25}{35}-\dfrac{21}{35}=\dfrac{4}{35}$

09 $3\dfrac{7}{10}-2\dfrac{3}{8}=3\dfrac{28}{40}-2\dfrac{15}{40}=1\dfrac{13}{40}$

10 $\cdot\ \dfrac{3}{8}+\dfrac{2}{7}=\dfrac{21}{56}+\dfrac{16}{56}=\dfrac{37}{56}$

$\cdot\ \dfrac{2}{3}+\dfrac{2}{5}=\dfrac{10}{15}+\dfrac{6}{15}=\dfrac{16}{15}=1\dfrac{1}{15}$

11 $9\dfrac{1}{8}-5\dfrac{11}{12}=9\dfrac{3}{24}-5\dfrac{22}{24}=8\dfrac{27}{24}-5\dfrac{22}{24}$

$=(8-5)+\left(\dfrac{27}{24}-\dfrac{22}{24}\right)=3+\dfrac{5}{24}$

$=3\dfrac{5}{24}$

12 $\cdot\ \dfrac{5}{6}+\dfrac{7}{9}=\dfrac{15}{18}+\dfrac{14}{18}=\dfrac{29}{18}=1\dfrac{11}{18}$

$\cdot\ \dfrac{9}{14}+\dfrac{3}{4}=\dfrac{18}{28}+\dfrac{21}{28}=\dfrac{39}{28}=1\dfrac{11}{28}$

13 $4\dfrac{1}{4}+2\dfrac{2}{3}=4\dfrac{3}{12}+2\dfrac{8}{12}=(4+2)+\left(\dfrac{3}{12}+\dfrac{8}{12}\right)$

$=6+\dfrac{11}{12}=6\dfrac{11}{12}$

$\Rightarrow 6\dfrac{11}{12}>6\dfrac{5}{12}$

14 $\cdot\ \dfrac{4}{7}+\dfrac{7}{8}=\dfrac{32}{56}+\dfrac{49}{56}=\dfrac{81}{56}=1\dfrac{25}{56}$

$\cdot\ 4\dfrac{1}{3}+2\dfrac{4}{5}=4\dfrac{5}{15}+2\dfrac{12}{15}=(4+2)+\left(\dfrac{5}{15}+\dfrac{12}{15}\right)$

$=6+\dfrac{17}{15}=6+1\dfrac{2}{15}=7\dfrac{2}{15}$

15 $1\dfrac{16}{21}+\dfrac{9}{14}=1\dfrac{32}{42}+\dfrac{27}{42}=1+\left(\dfrac{32}{42}+\dfrac{27}{42}\right)$

$=1+\dfrac{59}{42}=1+1\dfrac{17}{42}=2\dfrac{17}{42}$

16 $2\dfrac{1}{2}+3\dfrac{3}{4}=2\dfrac{2}{4}+3\dfrac{3}{4}=(2+3)+\left(\dfrac{2}{4}+\dfrac{3}{4}\right)$

$=5+\dfrac{5}{4}=5+1\dfrac{1}{4}=6\dfrac{1}{4}$ (m)

17 가장 큰 분수: $6\dfrac{1}{5}$, 가장 작은 분수: $1\dfrac{3}{4}$

$\Rightarrow 6\dfrac{1}{5}-1\dfrac{3}{4}=6\dfrac{4}{20}-1\dfrac{15}{20}=5\dfrac{24}{20}-1\dfrac{15}{20}$

$=(5-1)+\left(\dfrac{24}{20}-\dfrac{15}{20}\right)$

$=4+\dfrac{9}{20}=4\dfrac{9}{20}$

18 $23\dfrac{6}{7}-20\dfrac{4}{5}=23\dfrac{30}{35}-20\dfrac{28}{35}$

$=(23-20)+\left(\dfrac{30}{35}-\dfrac{28}{35}\right)$

$=3+\dfrac{2}{35}=3\dfrac{2}{35}$ (cm)

19 (두 사람이 마신 우유의 양)

$=\dfrac{5}{9}+\dfrac{5}{7}=\dfrac{35}{63}+\dfrac{45}{63}=\dfrac{80}{63}=1\dfrac{17}{63}$ (컵)

20 영은: $2\dfrac{4}{7}$, 수혁: $1\dfrac{3}{5}$

$\Rightarrow 2\dfrac{4}{7}+1\dfrac{3}{5}=2\dfrac{20}{35}+1\dfrac{21}{35}=3+\dfrac{41}{35}$

$=3+1\dfrac{6}{35}=4\dfrac{6}{35}$

155쪽 스스로 학습장

쪽지 시험		이름	김예지
분수의 덧셈과 뺄셈			

✻ 계산해 보세요

① $\dfrac{1}{4}+\dfrac{1}{8}=\dfrac{3}{8}$ ⑤ $\dfrac{7}{12}-\dfrac{2}{9}=\dfrac{5}{12}$ $\dfrac{13}{36}$

② $\dfrac{7}{9}+\dfrac{11}{18}=\dfrac{18}{27}$ $1\dfrac{7}{18}$ ⑥ $4\dfrac{5}{9}-1\dfrac{1}{9}=3\dfrac{31}{45}$

③ $1\dfrac{1}{4}+2\dfrac{1}{6}=3\dfrac{5}{12}$ ⑦ $5\dfrac{1}{8}-2\dfrac{1}{6}=2\dfrac{23}{24}$

④ $2\dfrac{5}{9}+3\dfrac{7}{8}=6\dfrac{31}{72}$ ⑧ $4\dfrac{11}{15}-2\dfrac{29}{30}=2\dfrac{23}{30}$ $1\dfrac{23}{30}$

6. 다각형의 둘레와 넓이

158~159쪽　　준비 학습

1 가, 라
2 나, 다, 라, 바
3 다, 바
4 (1) 8　(2) 7, 7
5 (위부터) (1) 6, 8　(2) 60, 120
6 2 cm

1 두 변이 만나서 이루는 각 중에서 직각이 있는 도형은 가, 라입니다.

2 마주 보는 두 쌍의 변이 서로 평행한 사각형은 나, 다, 라, 바입니다.

3 네 변의 길이가 모두 같은 사각형은 다, 바입니다.

161쪽　　1단계 교과서 개념

1 6, 30
2 18 cm
3 36 cm
4 35 cm
5 32 cm

2 $6 \times 3 = 18$ (cm)
3 $9 \times 4 = 36$ (cm)
4 $7 \times 5 = 35$ (cm)
5 $4 \times 8 = 32$ (cm)

163쪽　　1단계 교과서 개념

1 2, 18
2 32 cm
3 24 cm
4 20 cm
5 28 cm

2 $(9+7) \times 2 = 32$ (cm)
3 $(4+8) \times 2 = 24$ (cm)
4 $5 \times 4 = 20$ (cm)
5 $7 \times 4 = 28$ (cm)

164~165쪽　　2단계 개념 집중 연습

01 5, 30
02 8, 56
03 30 cm
04 28 cm
05 55 cm
06 54 cm
07 56 cm
08 6, 2, 32
09 4, 52
10 9, 2, 30
11 24 cm
12 56 cm
13 36 cm
14 28 cm

03 $10 \times 3 = 30$ (cm)

04 $7 \times 4 = 28$ (cm)

05 $11 \times 5 = 55$ (cm)

06 $9 \times 6 = 54$ (cm)

07 $8 \times 7 = 56$ (cm)

11 $(8+4) \times 2 = 24$ (cm)

12 $14 \times 4 = 56$ (cm)

13 $(12+6) \times 2 = 36$ (cm)

14 $(5+9) \times 2 = 28$ (cm)

167쪽　　1단계 교과서 개념

1 $6\,cm^2$
2 $7\,cm^2$
3 (1) $7\,cm^2$, $9\,cm^2$, $12\,cm^2$, $15\,cm^2$　(2) 라

1 모눈종이 한 칸의 넓이가 $1\,cm^2$이고 모눈종이 6칸이므로 $6\,cm^2$입니다.

2 모눈종이 한 칸의 넓이가 $1\,cm^2$이고 모눈종이 7칸이므로 $7\,cm^2$입니다.

3 (1) 주어진 직사각형이 넓이가 $1\,cm^2$인 모눈종이 몇 칸으로 이루어졌는지 알아봅니다.
(2) 라의 넓이가 $15\,cm^2$로 가장 넓습니다.

169쪽 — 1단계 교과서 개념

1 (1) 6, 4, 4, 24 (2) 6, 6, 6, 36
2 35 cm²
3 81 cm²
4 78 cm²
5 121 cm²

---

2 $7 \times 5 = 35$ (cm²)

3 $9 \times 9 = 81$ (cm²)

4 $6 \times 13 = 78$ (cm²)

5 $11 \times 11 = 121$ (cm²)

170~171쪽 — 2단계 개념 집중 연습

01 12 cm²
02 6 cm²
03 10 cm²
04 6 cm²
05 10 cm²
06 12 cm²
07 14 cm², 12 cm²
08 2
09 5, 40
10 10, 100
11 5, 60
12 8, 64
13 98 cm²
14 117 cm²
15 49 cm²
16 144 cm²

---

01 모눈종이 한 칸의 넓이가 1 cm²이고 모눈종이 12칸 이므로 12 cm²입니다.

02 모눈종이 한 칸의 넓이가 1 cm²이고 모눈종이 6칸 이므로 6 cm²입니다.

03 모눈종이 한 칸의 넓이가 1 cm²이고 모눈종이 10칸 이므로 10 cm²입니다.

04 모눈종이 한 칸의 넓이가 1 cm²이고 모눈종이 6칸 이므로 6 cm²입니다.

05 모눈종이 한 칸의 넓이가 1 cm²이고 모눈종이 10칸 이므로 10 cm²입니다.

06 모눈종이 한 칸의 넓이가 1 cm²이고 모눈종이 12칸 이므로 12 cm²입니다.

07 도형 가는 모눈종이 14칸이므로 14 cm²입니다.
도형 나는 모눈종이 12칸이므로 12 cm²입니다.

08 도형 가: 14 cm², 도형 나: 12 cm²
$\Rightarrow 14 - 12 = 2$ (cm²)

---

13 $7 \times 14 = 98$ (cm²)

14 $13 \times 9 = 117$ (cm²)

15 $7 \times 7 = 49$ (cm²)

16 $12 \times 12 = 144$ (cm²)

173쪽 — 1단계 교과서 개념

1 6
2 2000000
3 370000
4 45
5 18, 18

---

1 $10000 \text{ cm}^2 = 1 \text{ m}^2$
$\Rightarrow 60000 \text{ cm}^2 = 6 \text{ m}^2$

2 $1 \text{ km}^2 = 1000000 \text{ m}^2$
$\Rightarrow 2 \text{ km}^2 = 2000000 \text{ m}^2$

3 $1 \text{ m}^2 = 10000 \text{ cm}^2$
$\Rightarrow 37 \text{ m}^2 = 370000 \text{ cm}^2$

4 $1000000 \text{ m}^2 = 1 \text{ km}^2$
$\Rightarrow 45000000 \text{ m}^2 = 45 \text{ km}^2$

5 600 cm = 6 m, 300 cm = 3 m이므로 두 직사각형 은 넓이가 같습니다.
1 m²가 가로로 6번, 세로로 3번 들어가므로 모두 18번 들어갑니다.

175쪽 — 1단계 교과서 개념

1 (1) 16, 4 (2) 20
2 4 cm, 5 cm
3 91 cm²
4 40 cm²
5 108 cm²

---

1 (1) 색칠하지 않은 부분을 합하면 ▨ 모양 4개의 넓 이와 같습니다.
(2) 평행사변형의 넓이는 1 cm²인 넓이
$16 + 4 = 20$(개)와 같으므로 20 cm²입니다.

3 $13 \times 7 = 91$ (cm²)

4 $5 \times 8 = 40$ (cm²)

5 $9 \times 12 = 108$ (cm²)

2단계 개념 집중 연습

01 4 제곱미터　　　**02** 5 제곱킬로미터

03 30000　　　　　**04** 7

05 8000000　　　　**06** 5

07 15　　　　　　　**08** 24000000

09 28, 28

10 예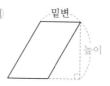

11 예

12 예

13 예

14 35 cm²　　　　　**15** 60 cm²

16 12 cm²　　　　　**17** 96 cm²

---

03 1 m²=10000 cm² ⇨ 3 m²=30000 cm²

04 10000 cm²=1 m² ⇨ 70000 cm²=7 m²

05 1 km²=1000000 m² ⇨ 8 km²=8000000 m²

06 1000000 m²=1 km² ⇨ 5000000 m²=5 km²

07 10000 cm²=1 m² ⇨ 150000 cm²=15 m²

08 1 km²=1000000 m² ⇨ 24 km²=24000000 m²

09 7000 m=7 km, 4000 m=4 km이므로 두 직사
각형은 넓이가 같습니다.
1 km²가 가로로 7번, 세로로 4번 들어가므로 모두
28번 들어갑니다.

14 $7 \times 5 = 35$ (cm²)　　**15** $10 \times 6 = 60$ (cm²)

16 $3 \times 4 = 12$ (cm²)　　**17** $12 \times 8 = 96$ (cm²)

1단계 교과서 개념

1 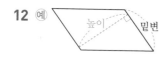 / 3, 9　　**2** 15 cm²

3 24 cm²　　　**4** 6 cm²　　　**5** 35 cm²

---

2 $6 \times 5 \div 2 = 15$ (cm²)

3 $8 \times 6 \div 2 = 24$ (cm²)

4 $4 \times 3 \div 2 = 6$ (cm²)

5 $10 \times 7 \div 2 = 35$ (cm²)

1단계 교과서 개념

1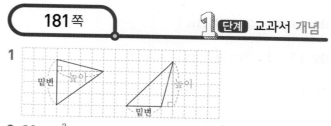

2 20 cm²　　　　　　　**3** 18 cm²

4 24 cm²　　　　　　　**5** 54 cm²

---

1 밑변과 마주 보는 꼭짓점에서 밑변 또는 밑변의 연장
선에 수직으로 선분을 긋습니다.

2 $5 \times 8 \div 2 = 20$ (cm²)

3 $4 \times 9 \div 2 = 18$ (cm²)

4 $6 \times 8 \div 2 = 24$ (cm²)

5 $9 \times 12 \div 2 = 54$ (cm²)

2단계 개념 집중 연습

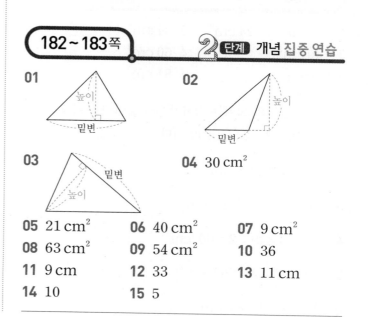

01　　　　　　　**02**

03　　　　　　　**04** 30 cm²

05 21 cm²　　**06** 40 cm²　　**07** 9 cm²

08 63 cm²　　**09** 54 cm²　　**10** 36

11 9 cm　　　**12** 33　　　　**13** 11 cm

14 10　　　　**15** 5

01 밑변과 마주 보는 꼭짓점에서 밑변에 수직으로 선분을 긋습니다.

04 $10 \times 6 \div 2 = 30$ (cm²)

05 $7 \times 6 \div 2 = 21$ (cm²)

06 $10 \times 8 \div 2 = 40$ (cm²)

07 $3 \times 6 \div 2 = 9$ (cm²)

08 $14 \times 9 \div 2 = 63$ (cm²)

09 $12 \times 9 \div 2 = 54$ (cm²)

10 (삼각형의 넓이)=(밑변의 길이)×(높이)÷2
$= 8 \times \blacksquare \div 2 = 36$ (cm²)

11 $8 \times \blacksquare \div 2 = 36 \Rightarrow 8 \times \blacksquare = 72,\ \blacksquare = 9$

12 (삼각형의 넓이)=(밑변의 길이)×(높이)÷2
$= \bullet \times 6 \div 2 = 33$ (cm²)

13 $\bullet \times 6 \div 2 = 33 \Rightarrow \bullet \times 6 = 66,\ \bullet = 11$

14 $7 \times \square \div 2 = 35 \Rightarrow 7 \times \square = 70,\ \square = 10$

15 $\square \times 8 \div 2 = 20 \Rightarrow \square \times 8 = 40,\ \square = 5$

185쪽 1단계 교과서 개념

1 (1) 6, 48 (2) 24 cm² **2** 24 cm²
3 140 cm² **4** 60 cm²
5 200 cm² **6** 81 cm²

1 (2) 마름모의 넓이는 직사각형의 넓이의 반이므로
$48 \div 2 = 24$ (cm²)입니다.

2 $6 \times 8 \div 2 = 24$ (cm²)

3 $20 \times 14 \div 2 = 140$ (cm²)

4 $15 \times (4 \times 2) \div 2 = 60$ (cm²)

5 $20 \times 20 \div 2 = 200$ (cm²)

6 $18 \times 9 \div 2 = 81$ (cm²)

187쪽 1단계 교과서 개념

1 (1) 28 cm² (2) 14 cm² **2** 57 cm²
3 125 cm² **4** 52 cm²
5 90 cm²

1 (1) (평행사변형의 넓이)=(밑변의 길이)×(높이)
$= 7 \times 4 = 28$ (cm²)

(2) 사다리꼴의 넓이는 평행사변형의 넓이의 반이므로
$28 \div 2 = 14$ (cm²)입니다.

2 $(9+10) \times 6 \div 2 = 57$ (cm²)

3 $(12+13) \times 10 \div 2 = 125$ (cm²)

4 $(9+4) \times 8 \div 2 = 52$ (cm²)

5 $(13+7) \times 9 \div 2 = 90$ (cm²)

188~189쪽 2단계 개념 집중 연습

01 4, 20 **02** 16, 96
03 63 cm² **04** 32 cm²
05 160 cm² **06** 144 cm²
07 84 cm² **08** ㉡
09 8, 2, 39 **10** 8, 7, 63
11 63 cm² **12** 25 cm²
13 130 cm² **14** 40 cm²
15 72 cm² **16** 36 cm²

01 참고
(마름모의 넓이)
=(한 대각선의 길이)×(다른 대각선의 길이)÷2

03 $7 \times 18 \div 2 = 63$ (cm²)

04 $8 \times 8 \div 2 = 32$ (cm²)

05 $20 \times 16 \div 2 = 160$ (cm²)

06 $16 \times 18 \div 2 = 144$ (cm²)

07 $(7 \times 2) \times (6 \times 2) \div 2 = 14 \times 12 \div 2 = 84$ (cm²)

08 $\bigcirc$: $6 \times 6 \div 2 = 18$ (cm²)

$\quad$ $\bigcirc$: $10 \times 5 \div 2 = 25$ (cm²)

$\quad$ $\Rightarrow \bigcirc < \bigcirc$

09 참고

(사다리꼴의 넓이)

$\quad$ =((윗변의 길이)+(아랫변의 길이))×(높이)÷2

11 $(5+13) \times 7 \div 2 = 63$ (cm²)

12 $(3+7) \times 5 \div 2 = 25$ (cm²)

13 $(16+10) \times 10 \div 2 = 130$ (cm²)

14 $(4+6) \times 8 \div 2 = 40$ (cm²)

15 $(6+12) \times 8 \div 2 = 72$ (cm²)

16 $(5+7) \times 6 \div 2 = 36$ (cm²)

190~193쪽 3 단계 익힘책 익히기

01 (1) 20 (2) 42 $\quad$ **02** (1) 22 (2) 36

03 (1) 32 (2) 24 $\quad$ **04** 1

05 (1) 40000 (2) 5 (3) 3 (4) 9000000

06 $22 \times 8 = 176$ / 176 cm²

07 (1) 56 (2) 96 $\quad$ **08** (1) 25 (2) 35

09 (1) 12 (2) 36 $\quad$ **10** (1) 18 (2) 28

11 (1) 52 (2) 21 $\quad$ **12** 126 cm²

13 70 m² $\quad$ **14** (1) 8 (2) 6 (3) 4 (4) 8

---

01 (1) $4 \times 5 = 20$ (cm)

$\quad$ (2) $6 \times 7 = 42$ (cm)

02 (1) $(8+3) \times 2 = 22$ (cm)

$\quad$ (2) $(12+6) \times 2 = 36$ (cm)

03 (1) $8 \times 4 = 32$ (cm)

$\quad$ (2) $6 \times 4 = 24$ (cm)

04 가: 9 cm², 나: 10 cm²

05 (1) 1 m²=10000 cm²이므로 4 m²=40000 cm²입니다.

$\quad$ (2) 10000 cm²=1 m²이므로 50000 cm²=5 m²입니다.

$\quad$ (3) 1000000 m²=1 km²이므로 3000000 m²=3 km²입니다.

$\quad$ (4) 1 km²=1000000 m²이므로 9 km²=9000000 m²입니다.

06 (직사각형의 넓이)=(가로)×(세로)

$\quad\quad\quad\quad\quad\quad\quad\quad = 22 \times 8 = 176$ (cm²)

07 (1) $8 \times 7 = 56$ (cm²)

$\quad$ (2) $12 \times 8 = 96$ (cm²)

08 (1) 500 cm=5 m

$\quad\quad \Rightarrow 5 \times 5 = 25$ (m²)

$\quad$ (2) 7000 m=7 km

$\quad\quad \Rightarrow 5 \times 7 = 35$ (km²)

09 (1) $4 \times 6 \div 2 = 12$ (m²)

$\quad$ (2) $9 \times 8 \div 2 = 36$ (m²)

10 (1) $4 \times 9 \div 2 = 18$ (cm²)

$\quad$ (2) $7 \times 8 \div 2 = 28$ (cm²)

11 (1) $(5+8) \times 8 \div 2 = 52$ (cm²)

$\quad$ (2) $(6+8) \times 3 \div 2 = 21$ (cm²)

12 $9 \times 14 = 126$ (cm²)

13 $10 \times 14 \div 2 = 70$ (m²)

14 (1) $14 \times \square = 112$

$\quad\quad \Rightarrow \square = 112 \div 14 = 8$

$\quad$ (2) $9 \times \square \div 2 = 27$

$\quad\quad \Rightarrow 9 \times \square = 54, \square = 6$

$\quad$ (3) $(5+8) \times \square \div 2 = 26$,

$\quad\quad\quad 13 \times \square \div 2 = 26$

$\quad\quad \Rightarrow 13 \times \square = 52, \square = 4$

$\quad$ (4) $8 \times \square \div 2 = 32$,

$\quad\quad \Rightarrow 8 \times \square = 64, \square = 8$

 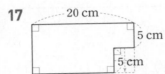

01 (위부터) 밑변, 높이 **02** 1, 제곱센티미터

03 2 cm, 3 cm, 2 cm **04** 80 cm

05 2, 32 **06** 15 cm²

07 8 **08** 7000000

09 63 cm² **10** 다

11 52 m² **12** 196 cm²

13 27 cm² **14** 9 cm

15 247 cm² **16** ㉠

17 60 cm **18** 4

19 12 **20** 48 cm²

---

01 평행사변형에서 평행한 두 변을 밑변이라 하고 두 밑변 사이의 거리를 높이라고 합니다.

04 $10 \times 8 = 80$ (cm)

05 (직사각형의 둘레) $= ($가로$) + ($세로$)) \times 2$
$= (10 + 6) \times 2$
$= 16 \times 2 = 32$ (cm)

06 평행사변형의 넓이는 1 cm²인 넓이
$12 + 3 = 15$(개)의 넓이와 같습니다.
⇨ 15 cm²

07 10000 cm² $= 1$ m² ⇨ 80000 cm² $= 8$ m²

08 1 km² $= 1000000$ m² ⇨ 7 km² $= 7000000$ m²

09 $9 \times 7 = 63$ (cm²)

10 가의 밑변의 길이가 모눈 3칸, 높이가 모눈 4칸이므로 밑변의 길이와 높이가 각각 같은 삼각형을 찾습니다.

11 $8 \times 13 \div 2 = 52$ (m²)

12 $14 \times 14 = 196$ (cm²)

13 $(6 + 3) \times 6 \div 2 = 27$ (cm²)

14 이어 붙인 도형의 둘레는 마름모의 변 6개의 길이와 같습니다. ⇨ (마름모의 한 변) $= 54 \div 6 = 9$ (cm)

15 (마름모의 넓이) $= ($직사각형의 넓이$) \div 2$
$= ($가로$) \times ($세로$) \div 2$
$= 26 \times 19 \div 2 = 247$ (cm²)

16 ㉠ $6 \times 6 = 36$ (cm²) ㉡ $4 \times 8 = 32$ (cm²)
⇨ ㉠ > ㉡

17

도형의 둘레는 가로가 20 cm, 세로가
$5 + 5 = 10$ (cm)인 직사각형의 둘레와 같습니다.
⇨ $(20 + 10) \times 2 = 60$ (cm)

18 윗변의 길이가 □ cm이고, 아랫변의 길이가 7 cm, 높이가 8 cm인 사다리꼴의 넓이가 44 cm²이므로
$(□ + 7) \times 8 \div 2 = 44$, $(□ + 7) \times 8 = 88$,
$□ + 7 = 11$, $□ = 4$입니다.

19 한 대각선의 길이는 15 cm이고 다른 대각선의 길이는 □ cm인 마름모의 넓이가 90 cm²이므로
$15 \times □ \div 2 = 90$, $15 \times □ = 180$, $□ = 12$입니다.

20 위쪽 삼각형 1개와 아래쪽 사다리꼴 1개로 나누어 넓이를 구합니다.
⇨ $\underbrace{9 \times 4 \div 2}_{\text{삼각형의 넓이}} + \underbrace{(9 + 6) \times 4 \div 2}_{\text{사다리꼴의 넓이}} = 18 + 30$
$= 48$ (cm²)

197쪽 스스로 학습장

1 18 m **2** 16 m

3 30 m² **4** 16 m²

5 14 m² **6** 24 m²

---

1 $3 \times 6 = 18$ (m) **2** $4 \times 4 = 16$ (m)

3 $6 \times 5 = 30$ (m²) **4** $4 \times 4 = 16$ (m²)

5 $7 \times 4 \div 2 = 14$ (m²)

6 $(5 + 7) \times 4 \div 2 = 24$ (m²)